Мои·любимые·книжки

Мои·любимые·книжки

Элвин Брукс Уайт

Отважный мышонок Стюарт Литтл

АСТ·Астрель
Москва
 ВКТ Владимир

Глава 1

В ТРУБЕ

Когда у миссис Фредерик К. Литтл родился второй сын, все с удивлением обнаружили, что размером он был не больше мыши. Да и внешне малыш очень походил на мышь: рост его составлял всего два дюйма, у него был острый нос, длинный мышиный хвост, подвижные мышиные ушки и мягкие — ну совсем мышиные — повадки. А еще он надевал серую шляпу, а в руке носил маленькую трость, но все это уже, разумеется, было, когда он немного подрос.

Мистер и миссис Литтл назвали его Стюартом, а мистер Литтл смастерил для сына крошечную кровать из четырех булавок и сигаретной коробки.

В отличие от остальных детей Стюарт начал ходить с самого рождения. Когда ему была всего неделя от роду, он уже мог взбираться по шнуру на лампу и зажигать свет.

Очень скоро миссис Литтл обнаружила, что вся детская одежда, которую она купила Стюарту еще до его рождения, совершенно никуда не годится. Тогда она села за работу и сшила ему маленькую голубую курточку с накладными карманами, в которых можно было хранить носовые платки, деньги и ключи.

Каждое утро, перед тем как Стюарт начинал одеваться, миссис Литтл входила к нему и взвешивала его на маленьких весах, которые в действительности предназначались для взвешивания писем. Миссис Литтл принесла их с почты. Вес Стюарта был таков, что его вполне можно было отправить по почте всего за какие-нибудь три цента. Однако родители никуда его не отправили, а оставили дома. Но каково же было удивление и огорчение мамы Стюарта, когда она увидела, что и через две недели, и через месяц вес Стюарта не увеличился ни на грамм.

Тогда они вызвали доктора.

Когда доктор увидел Стюарта, то очень удивился. Он сказал, что это даже забавно — держать в доме ручную мышь. Затем он измерил Стюарту температуру. Она оказалась равна 98,6 градуса (по Фаренгейту), что для мыши, как пояснил доктор, вполне достаточно. После этого он осмотрел грудную клетку Стюарта, прослушал сердце и даже при помощи специального маленького фонарика заглянул в уши. Всё оказалось в порядке, и миссис Литтл очень обрадовалась.

— Кормите его получше! — посоветовал доктор напоследок.

Дом Литтлов находился в Нью-Йорке, в чудесном местечке возле парка. Когда утром солнце заглядывало в окна, выходившие на восток, семья уже была на ногах.

Стюарт поднимался раньше всех. Он любил помогать родителям и своему старшему брату Джорджу. Ведь из-за маленького роста Стюарт мог делать то, что было не по силам другим.

Однажды миссис Литтл мыла ванну и потеряла кольцо. Проискав его полчаса, она, к своему ужасу, обнаружила, что кольцо провалилось в сливную трубу.

— Что теперь делать? — воскликнула она, чуть не плача.

— На твоем месте, — посоветовал Джордж, — я бы согнул шпильку, сделал бы из нее крючок, привязал его к веревке и попробовал достать кольцо.

Миссис Литтл отыскала веревку, взяла шпильку и целый час вылавливала кольцо при помощи этого приспособления. В трубе было темно, а кроме того шпилька не доставала до места, где лежало кольцо.

— Ну как? — поинтересовался мистер Литтл, заглядывая в ванную.

— Никак, — ответила миссис Литтл. — Кольцо слишком далеко, я не могу его достать.

— А почему бы нам не отправить за ним Стюарта? — предложил мистер Литтл. — Стюарт, ты не хочешь попробовать?

— Хочу! — обрадовался Стюарт. — Только сапоги надену. Там, наверное, сыро.

— Да не выйдет из этого ничего! — возразил Джордж, который был раздосадован тем, что его идея с крючком не сработала.

Но Стюарт уже надел свои старые сапоги и, взяв веревку, один конец обмотал вокруг талии, а другой отдал мистеру Литтлу.

— Когда дерну за веревку три раза — вытаскивайте! — сказал он.

Мистер Литтл остался ждать в ванной, а Стюарт быстро скользнул вниз по трубе и моментально скрылся из вида.

Прошла минута, другая... Вдруг за веревку дернули три раза. Мистер Литтл осторожно потянул — и вытащил Стюарта наружу. На шее у Стюарта было надето кольцо миссис Литтл.

— О, вот он, мой маленький храбрый сыночек! — с гордостью воскликнула миссис Литтл и поцеловала Стюарта.

— Ну и как там, внизу? — спросил мистер Литтл, очень любивший узнавать всевозможные подробности о тех местах, где еще не бывал.

— Нормально, — ответил Стюарт.

На самом деле в трубе было очень грязно, и Стюарт сильно испачкался. Но он тщательно вымылся, вычистил одежду и даже побрызгался капелькой духов, которые взял у мамы.

Все были очень рады, что происшествие благополучно завершилось.

Глава 2

ДОМАШНИЕ ХЛОПОТЫ

Когда Литтлы принимались играть в пинг-понг, Стюарт был просто незаменим. Шарики то и дело закатывались под стулья, диваны и батареи. А это значило, что игроки каждый раз должны были прерывать игру и ползать по полу в поисках шара. Стюарт быстро научился находить шары. Это было поистине великолепное зрелище, когда он выходил из-под горячей батареи, изо всех сил толкая перед собой шарик от пинг-понга, который был такого же роста, как и он сам.

В гостиной у Литтлов стоял рояль. Однако во время игры на нем одна из клавиш постоянно западала. Миссис Литтл говорила, что в этом виноват сырой воздух, хотя на самом деле клавиша западала и тогда, когда стояли прекрасные солнечные дни.

Как бы то ни было, эта клавиша доставляла немало хлопот тому, кто играл на рояле. Обычно это бывал Джордж. Неисправная клавиша ужасно раздражала его, особенно когда он исполнял «Собачий вальс». Именно Джордж придумал посадить в рояль Стюарта, чтобы он поправлял западающую клавишу. Нельзя сказать, что это была легкая работа. Стюарт бегал между подскакивающими молоточками, которые то и дело норовили стукнуть его по голове. Но Стюарту нравилось это занятие: внутри рояля было так много всяких интересных штучек!

Был, правда, и один существенный недостаток. Внутри рояля стоял такой шум и грохот, что когда Стюарт вылезал из него, он почти ничего не слышал. Должно было пройти немного времени, прежде чем Стюарт снова начинал воспринимать окружающие звуки.

Миссис и мистер Литтл часто говорили о Стюарте, когда его не было поблизости. Они никак не могли привыкнуть к мысли, что в их семье живет мышь. Несмотря на это, родители очень любили Стюарта и заботились о нем. Мистер Литтл потребовал, чтобы при Стюарте о мышах не упоминали. Он даже заставил миссис Литтл вырвать из детской книжки страницу со стихотворением о трех беленьких мышках:

Три беленькие мышки
Бегут, не чуя ног,
За Мельничихой старой
Вприпрыжку за порог.
Она хвосты отрезала
Им кухонным ножом...
А что случилось дальше,
Я расскажу потом*.

---

* Стихотворение из знаменитого английского сборника детских стихов, песенок и загадок «Рифмы матушки Гусыни».

— Я не желаю, чтобы мой сын рос в страхе, — заявил он, — и думал, что Мельничиха и впрямь может отрезать ему хвост кухонным ножом! После таких стихов по ночам ему будут сниться кошмары!

— Правильно, — подтвердила миссис Литтл. — Еще нам следовало бы подумать о стихотворении «Была Рождественская ночь...»* Мне кажется, что упоминание о мышах, да еще столь явное, обязательно насторожит Стюарта.

— Точно, — согласился ее муж. — Но что мы будем говорить, когда дойдем до этой строчки?

_____
* Известнейшее стихотворение, которым начинаются практически все так называемые «Рождественские сказки».

— Как насчет «шишки»? — предложила миссис Литтл.

— Или «крышки»? — отозвался мистер Литтл.

— Мне больше нравится «книжки», — донесся из соседней комнаты голос Джорджа.

В конце концов остановились на варианте с «шишками». Накануне Рождества миссис Литтл аккуратно стерла в книге слово «мышки» и вписала «шишки», и Стюарт действительно думал, что стихотворение звучит так:

Была Рождественская ночь,
И в маленьком домишке
Все было тихо, не скреблись
В подвале даже шишки.

Но больше всего миссис Литтл беспокоила мышиная нора в кладовой. Мыши прогрызли ее в стене еще до приезда сюда Литтлов, а потом все как-то позабыли о ней. Мистер Литтл не знал, что подумает Стюарт, когда увидит нору. Он не смог бы поручиться, что Стюарт не захочет войти в нее.

— Он слишком похож на мышь, — говорил мистер Литтл своей жене. — А я не видел ни одной мыши, которой не хотелось бы забраться в норку.

Глава 3

УТРО

Вставал Стюарт рано, обычно самым первым. Ему это очень нравилось. Он любил тихие комнаты и длинные ряды книг, спокойно стоящие на полках, бледный свет, льющийся в окна, и свежие запахи утра.

Зимой было еще темно, когда он выбирался из кровати. Делая утреннюю гимнастику, мышонок дрожал от холода. (Каждое утро Стюарт выполнял по десять наклонов вперед. Он брал пример с Джорджа, который говорил, что это упражнение как нельзя лучше укрепляет мышцы живота.)

После зарядки Стюарт надевал красивый шерстяной халат, потуже затягивал пояс и отправлялся в ванную. Он тихо пробирался через длинный темный холл, мимо спальни мамы и папы, мимо шкафа, в котором держали щетки для ковров, мимо комнаты Джорджа, мимо лестницы и наконец попадал в ванную.

Там, конечно, было тоже темно. Но папа Стюарта предусмотрительно привязал к выключателю длинную веревку, которая доставала почти до пола. Схватившись за нее и навалившись всем телом, Стюарт вполне мог включить свет. Когда он дергал за веревку, то он походил на старого сгорбленного звонаря, раскачивающего колокол на древней монастырской башне.

Чтобы забраться в умывальник, Стюарт должен был карабкаться по тонкой веревочной лестнице, которую папа смастерил специально для него. Джордж обещал сделать маленький умывальник всего в один дюйм высотой и с резиновой трубкой для подачи воды. Но Джордж всегда что-нибудь обещал, а потом забывал об этом. Поэтому Стюарт был вынужден взбираться по веревочной лестнице к большому умывальнику, чтобы почистить зубы и умыться. Миссис Литтл снабдила его маленькой зубной щеткой, маленьким кусочком мыла, маленькой мочалкой и маленькой расческой для расчесывания усов. Все это лежало у Стюарта в пакете. Забравшись по веревочной лестнице на умывальник, Стюарт выкладывал из пакета его содержимое и приступал к решению следующей задачи — ему надо было открыть воду. А ведь такому маленькому существу сделать это было совсем не просто!

Однажды после нескольких неудачных попыток Стюарт решил обсудить этот вопрос со своим отцом.

— До водопроводного крана я могу добраться по веревочной лестнице, — сказал Стюарт. — Но повернуть его не могу! А все из-за того, что мне не во что упереться ногами.

— Знаю, — ответил мистер Литтл. — В том-то вся и беда.

Джордж, который обычно встревал во все разговоры, в какие только мог, сказал, что может сделать для Стюарта опору. Он взял две доски, пилу, молоток, отвертку, плоскогубцы и горсть гвоздей. Через минуту из ванной послышался жуткий грохот — это Джордж мастерил для Стюарта опору. Однако не прошло и четверти часа, как он заинтересовался чем-то еще и исчез, разбросав инструменты по всей ванной. Стюарт, увидев результаты бурной деятельности своего брата, снова обратился к отцу:

— Может, кран откроется, если по нему чем-нибудь стукнуть?

Мистер Литтл кивнул и дал ему маленький деревянный молоточек. Стюарт взмахнул молотком, два-три раза с грохотом опустил его на кран, и в умывальник начала течь тоненькая струйка — вполне достаточная для того, чтобы почистить зубы и намылить мочалку.

Теперь каждое утро Стюарт, забравшись на умывальник, брал в руки молоток и принимался стучать по крану. Звон разносился по всему дому, и остальные члены семьи сквозь сон слышали: «Клинк! Клинк! Клинк!»

Словно далекий кузнец из своей кузницы давал им знать, что новый день пришел и солнце снова взошло над землей.

Глава 4

ОПАСНЫЙ ПРЫЖОК

Однажды ясным майским утром, когда Стюарту было три года, он встал, умылся, оделся и, как всегда, взяв свою шляпу и трость, пошел вниз по лестнице посмотреть, что происходит в доме.

В гостиной никого не было, кроме Снежка — белого кота, любимца миссис Литтл.

Снежок тоже поднялся очень рано и теперь лежал посередине комнаты на коврике и вспоминал о тех чудесных днях, когда он был котенком.

— Доброе утро, — поздоровался Стюарт.

— Привет, — промяукал Снежок. — Не рано ли ты поднялся?

Стюарт посмотрел на часы.

— Да, — согласился он, — сейчас только пять минут седьмого, но я чувствую себя прекрасно. Я собираюсь сделать одно маленькое гимнастическое упражнение...

— А я думал, что ты проделал все упражнения, когда стучал молотком по крану. И все для того, чтобы почистить зубы! Но они такие маленькие! То ли дело мои!

Снежок открыл рот и показал Стюарту два ряда великолепных белых зубов, острых, будто иголки.

— Очень красиво, — сказал Стюарт. — Но меня устраивают мои, несмотря на то, что они маленькие. Что касается упражнений, то я должен делать их как можно больше, чтобы быть сильным и ловким. Я уверен, что мышцы живота у меня сильнее, чем у тебя!

— А я уверен, что нет! — возразил кот.

— А я уверен, что да! — настаивал Стюарт. — Они твердые, как стальные обручи!

— Ха-ха-ха! Как стальные обручи!

Стюарт оглядел комнату: он думал, как доказать Снежку, что это действительно так. На глаза ему попался шнур с кольцом на конце, с помощью которого миссис Литтл открывала и закрывала шторы. Кольцо вполне могло заменить гимнастическую трапецию. Стюарт снял шляпу и положил трость.

— Ты никогда не сможешь сделать так, как я! — крикнул он коту и, разбежавшись, прыгнул на кольцо, словно акробат.

Но тут произошла удивительная вещь. Схватившись за кольцо, Стюарт невольно привел в действие механизм, сворачивающий занавеску. Она с шумом взлетела вверх и закатала Стюарта внутрь таким образом, что он не мог даже пошевельнуться.

— Камбала-селедка! — пробормотал Снежок, который был удивлен не меньше Стюарта. — Надеюсь, это научит его скромности.

— Помогите! Вытащите меня! — кричал Стюарт. В занавеске было темно, душно и страшно. Но голос Стюарта был слишком тихим, и его никто не услышал.

Снежок лишь злорадно усмехнулся. Стюарт не очень-то нравился ему. Поэтому вместо того чтобы скорей побежать к миссис Литтл и обо всем ей рассказать, Снежок осмотрелся по сторонам и, убедившись, что его никто не видит, подкрался к подоконнику, взял зубами шляпу и трость Стюарта, отнес их в кладовку и положил у входа в мышиную нору.

Миссис Литтл заглянула в кладовку. Увидев вещи Стюарта, она громко вскрикнула. На ее крик прибежали остальные члены семьи.

— Это произошло! — заплакала миссис Литтл.

— Что произошло? — не понял мистер Литтл.

— Стюарт забрался в мышиную нору!

Глава 5

ПОИСКИ

Джордж тут же решил разобрать весь пол в кладовой. Он сбегал за молотком, гвоздодером и ломом.

— Сейчас мы его мигом! — сказал он, подсовывая гвоздодер под одну из половиц и изо всей силы налегая на него.

— Нет, мы не должны разбирать пол, пока хорошенько везде не поищем! — объявил мистер Литтл. — Хватит, Джордж! Положи молоток на место!

— Ну и ладно! — обиделся Джордж. — Вижу, никто кроме меня в этом доме не заботится о Стюарте!

Миссис Литтл снова заплакала.

— Мой бедный, мой дорогой, мой маленький сын! — причитала она. — Он наверняка застрянет в этой противной норе!

— Слушай, если ты не можешь пролезть в нору, то это вовсе не значит, что Стюарт тоже не может этого сделать! — возразил мистер Литтл.

— Надо положить у входа немного еды! — предложил Джордж. — Спасатели всегда так делают, если человек теряется в пещере.

Джордж сбегал на кухню и вернулся с тарелкой яблочного повидла.

— Мы засунем повидло внутрь, а оно само стечет туда, куда нужно!

Зачерпнув ложкой повидло, Джордж стал запихивать его в нору.

— Прекрати! — рассердился мистер Литтл. — Сейчас же убери повидло! И позволь мне принимать решения!

— Я пытаюсь помочь собственному брату! — возмутился Джордж, но все же унес повидло на кухню.

— Давайте все вместе позовем Стюарта, — предложила миссис Литтл. — Может, в норе несколько ходов, и он заблудился.

— Хорошо, — согласился мистер Литтл. — Считаю до трех — и кричим. Потом три секунды ждем ответа.

Он вынул часы. Затем они все втроем опустились на четвереньки возле мышиной норы и прокричали в нее:

— Стю-ю-ю-ю-арт!

Стюарт слышал, как они звали его в кладовой, и отозвался:

— Я здесь!

Но голос его был так слаб, что никто ничего не услышал.

— Еще раз! — сказал мистер Литтл. — Один, два, три! Стю-ю-ю-ю-арт!

Никакого ответа.

Миссис Литтл поднялась в спальню, легла на кровать и зарыдала.

Мистер Литтл позвонил по телефону в Бюро по розыску пропавших лиц, но когда он стал описывать Стюарта и сказал, что малыш всего двух дюймов ростом, на том конце провода повесили трубку.

Джордж тем временем спустился в подвал и обыскал его, надеясь найти другой вход в мышиную нору. Он передвинул целую гору всякого хлама — сломанных стульев, старых чемоданов, цветочных горшков, неструганых досок — с одного края подвала на другой, чтобы добраться до самого подходящего, по его мнению, участка стены. Но норы там не было. Был только старый тренажер для упражнений в гребле, принадлежавший когда-то мистеру Литтлу. Заинтересовавшись этим приспособлением, Джордж с трудом вытащил его из подвала и, подняв по ступенькам в свою комнату, провел около него остаток утра.

Когда подошло время ланча (в суматохе все забыли о завтраке), миссис Литтл подала великолепно приготовленную телятину. Однако никто не мог есть. Все старательно отводили глаза от маленького пустого стульчика Стюарта, который, как всегда, стоял рядом с бокалом миссис Литтл. Даже Джордж съел лишь немного десерта.

После ланча миссис Литтл снова разрыдалась.

— Может, он уже умер! — причитала она.

— Что за ерунда! — проворчал мистер Литтл.

А Джордж воскликнул:

— Если он мертв, то надо во всем доме опустить шторы!

И он принялся опускать шторы.

— Джордж! — закричала миссис Литтл сердито. — Если ты сейчас же не прекратишь свои идиотские выходки, я тебя накажу! У нас и без этого хватает забот!

Но Джордж уже побежал в гостиную — ему не терпелось показать, как велика его скорбь об умершем.

Он потянул за шнур. Занавеска размоталась, и на подоконник шлепнулся Стюарт.

— Слава богу! — обрадовался Джордж. — Мама, посмотри, кто здесь!

— Давно пора было опустить эту штору! — проворчал Стюарт. — Это все, что я могу сказать!

Он был слаб и голоден.

Миссис Литтл очень обрадовалась и сразу перестала плакать. Всем, конечно, хотелось поскорее узнать, что же произошло.

— Обычная история, — махнул рукой Стюарт. — С каждым может случиться. Что же касается моей шляпы и трости, которые вы нашли возле мышиной норы, то сделайте выводы сами.

Глава 6

ВЕТЕРОК

Однажды утром, когда дул западный ветер, Стюарт надел матросскую рубашку, матросскую шапку, взял с полки подзорную трубу и отправился на прогулку. Несмотря на переполнявшую его радость, Стюарт внимательно оглядывался по сторонам. Дело в том, что он опасался собак.

Пружинистой походкой он шел по Пятой авеню. Едва Стюарт высматривал в трубу какую-нибудь собаку, он тут же бросался к ближайшему швейцару, стоящему у дверей, взбирался по его брюкам и прятался в складках одежды.

Один раз, когда швейцара поблизости не было, Стюарту пришлось залезть под вчерашнюю газету, завернуться во вторую страницу и ждать, пока опасность не минует.

На углу Пятой авеню несколько человек дожидались пригородного автобуса, и Стюарт присоединился к ним. Из-за маленького роста его никто не заметил.

«Пусть я недостаточно высок для того, чтобы меня замечали, — подумал Стюарт, — но до Семьдесят Второй улицы я доберусь!»

Когда из-за угла показался автобус, люди замахали водителю тростями и сумками — так они просили остановиться. Стюарт тоже замахал подзорной трубой.

Ступенька автобуса была слишком высока для малыша, поэтому он ухватился за отворот брюк какого-то господина — и через мгновение благополучно оказался внутри автобуса.

Стюарт никогда не платил за проезд в автобусе, так как был слишком мал для того, чтобы платить за обычный билет. Как-то раз он попытался это сделать и был вынужден катить монету рядом с собой, как мальчишки катают обруч. Скоро дорога пошла под уклон, и монета укатилась вперед, где ее подобрала какая-то беззубая старуха. После этого случая папа сделал для Стюарта специальные маленькие монетки из оловянной фольги. Эти чудесные миниатюрные вещицы было трудно разглядеть без очков.

Когда кондуктор стал собирать плату за проезд, Стюарт покопался в своем кошельке и протянул ему монету размером не больше мушиного глаза.

— Что вы мне даете? — удивился кондуктор.

— Это одна из моих монеток, — объяснил Стюарт.

— Действительно! — еще больше удивился кондуктор. — Гм! Забавно будет рассказать об этом друзьям-кондукторам. Вы ведь и сами не больше монетки!

— А вот и нет! — сердито отозвался Стюарт. — Я почти в два раза больше! Монета доходит мне только до бедра! — И кроме того, — добавил Стюарт раздраженно, — я пришел сюда не затем, чтобы меня оскорбляли!

— Прошу прощения, — извинился кондуктор. — Я не знал, что на свете бывают такие маленькие моряки.

— Что ж, теперь будете знать, — проворчал Стюарт, убирая кошелек в карман.

Когда автобус остановился у Семьдесят Второй улицы, Стюарт выпрыгнул из него и поспешил в Центральный парк, к пруду, где плавали игрушечные парусные лодки.

По пруду гулял свежий ветерок и гнал вперед бригантины и шхуны. Паруса на кораблях были подняты, влажные палубы ярко блестели.

Владельцы кораблей, мальчики и взрослые мужчины, ходили вдоль каменных берегов, стараясь вовремя успеть перебежать на другую сторону пруда, чтобы уберечь свои суда от столкновения. Некоторые из игрушечных кораблей были не такими уж маленькими. Подойдя ближе, каждый мог убедиться, что многие мачты превышали человеческий рост. Корабли были снабжены всеми снастями и такелажем и выглядели очень красиво. Стюарту они казались огромными. И тут ему пришла в голову мысль, что он вполне мог бы отправиться на одном из них в плавание по пруду. (Надо сказать, Стюарт очень любил всевозможные приключения, особенно морские путешествия, когда над головой слышится крик чаек, а под ногами вздымаются волны.)

Взобравшись на парапет, окружавший пруд, Стюарт стал разглядывать корабли в подзорную трубу. Его взгляд упал на судно, которое показалось ему красивее и быстроходней остальных. Называлось оно «Оса». Шхуна была выкрашена в черный цвет, у нее был острый нос, на мачте развевался флаг, а на передней палубе возвышалась трехдюймовая пушка.

— Это как раз то, что нужно, — подумал Стюарт и побежал к тому месту, где шхуна делала поворот.

— Прошу прощения, сэр, — сказал он человеку, управлявшему кораблем. — Вы владелец «Осы»?

— Я, — растерянно ответил человек, таращась на говорящую мышь в матросской одежде.

— Мне нужно место на одном из кораблей, — продолжал Стюарт. — Ваша шхуна мне подходит. Я неплохой матрос. Сильный и ловкий!

— И скромный? — усмехнулся владелец «Осы».

— Свою работу я знаю! — отрезал Стюарт.

Человек удивился еще больше. Крохотный морячок держался довольно уверенно.

— Ну, — протянул после паузы владелец «Осы», направляя нос шхуны в центр пруда. — Так и быть. Видишь вон ту большую бригантину?

— Да, — кивнул Стюарт.

— Это «Лилиан В.Уомрат», — сквозь зубы сказал человек. — И я всем сердцем ее ненавижу!

— Тогда я тоже! — с готовностью заявил Стюарт.

— Она все время врезается в мою шхуну! — продолжал владелец «Осы». — А ее хозяин — толстый, ленивый мальчишка, который ничего не смыслит в морском деле! Да он не знает, чем различаются шлюпка и трубка!

— Румбы и тумбы! — подхватил Стюарт.

— Мачта и почта!

— Такелаж и экипаж!

— Бот и грот!

— Мол и атолл! — вскричал человек. — Но хватит, ни слова больше. «Лилиан В. Уомрат» один раз обогнала мою шхуну. Но если бы «Осой» кто-нибудь управлял, думаю, результат был бы совсем иным! Никто не знает, как я страдаю, когда «Оса» сбивается с курса, а я ничего не могу поделать! Все, что нужно моей шхуне, — это твердая рука на штурвале! Поэтому ты поведешь «Осу»! И если тебе удастся обогнать корабль этого невежи, я возьму тебя на постоянную работу!

— Есть, сэр! — сказал Стюарт и, прыгнув через борт шхуны, занял место у штурвала. — Отдать концы!

— Погоди-ка, — остановил его хозяин. — Я хочу знать, как ты собираешься разделаться с ним.

— Ну, — задумался Стюарт. — Поставлю больше парусов.

— Нет, только не на моей шхуне! — возразил хозяин. — Я не хочу, чтобы ветер опрокинул ее.

— Тогда я возьму корабль на абордаж! — предложил Стюарт. — И разнесу в щепки из пушки!

— Черт возьми! Я хочу, чтобы это было спортивное состязание, а не морская битва!

— Что ж, — рассмеялся Стюарт, — тогда я поведу «Осу» кратчайшим путем и обгоню эту черепаху «Лилиан В.Уомрат»!

— Браво! — вскричал хозяин. — Счастливого пути!

Он отвязал веревку и оттолкнул корабль от берега.

Ветер наполнил паруса, и шхуна двинулась вперед, весело покачиваясь на волнах.

Стюарт, стоя на капитанском мостике, крепко держал штурвал.

— Эй! — крикнул с берега хозяин. — Я забыл спросить, как тебя зовут!

— Стюарт Литтл! Я младший сын Фредерика К.Литтла! — отозвался Стюарт.

— Ни пуха! — пожелал хозяин «Осы». — Будь осторожней! И постарайся не повредить шхуну!

— Слушаюсь, сэр! — закричал Стюарт в ответ.

Он был так счастлив, так горд, что даже исполнил нечто вроде танца на мокрой, скользкой палубе. Из-за этого шхуна чуть не столкнулась с прогулочным пароходом, который проходил рядом, шумя паровыми котлами и блистая надраенным такелажем.

Глава 7

ГОНКА

Когда люди в парке узнали, что одним из игрушечных кораблей будет управлять мышь, начался настоящий переполох. Всем хотелось взглянуть на необычную гонку. Скоро берега пруда были заполнены до отказа, из участка даже прислали полицейского, чтобы он следил за порядком.

— Не толкайтесь! — надрывался полицейский, но на него никто не обращал внимания. (Люди в Нью-Йорке вообще очень любят толкаться.) Больше всех суетился хозяин «Лилиан В.Уомрат» — толстый мальчишка лет двенадцати в белом галстуке, выпачканном апельсиновым соком. Звали мальчишку Рой.

— Эй! — кричал он Стюарту. — Вернись! Возьми лучше мой корабль! Я буду платить тебе пять долларов в неделю и поставлю в каюту радио!

— Спасибо за предложение! — отозвался Стюарт. — Но мне больше нравится «Оса». Я счастлив, как никогда в жизни!

Он ловко крутанул штурвал, направляя шхуну к стартовой отметке. Рой был уже там. Он длинной палкой разворачивал свой корабль, готовя его к началу гонки.

— Я буду судьей, — сказал мужчина в ярко-зеленом костюме. — «Оса» готова?

— Так точно, сэр! — отрапортовал Стюарт, прикладывая два пальца к матросской шапке.

— «Лилиан В.Уомрат» готова?

— Конечно, готова! — ответил Рой.

— До северного конца пруда и обратно, — предупредил судья. — На старт! Внимание! Марш!

— Марш! — закричали люди на берегу.

— Марш! — завопил владелец «Осы».

— Марш! — не удержался полицейский.

Оба корабля стремительно помчались вперед. Над водой кружились и шумели чайки. С Семьдесят Второй улицы доносился рев автомобилей и гудение клаксонов. Ветер свистел в корабельных снастях, брызжа на палубу пеной.

— Такая жизнь по мне! — восхищенно прошептал Стюарт. — Какой корабль! Какой день! Какая гонка!

Но не успели корабли пройти и половины пути, как произошло неожиданное.

Люди, стоявшие на берегу, случайно толкнули полицейского, и он, потеряв равновесие, прямо в фуражке и униформе шлепнулся в пруд.

Полицейский и так был довольно тучным, а перед гонкой он еще плотно пообедал... В общем, он поднял такую волну, что все владельцы игрушечных судов замерли от ужаса.

Когда Стюарт увидел приближающийся водяной вал, он подпрыгнул, пытаясь увернуться. Но было поздно. Водяная гора обрушилась на палубу и смыла его за борт. У зрителей не было никакого сомнения в том, что Стюарт утонет.

Но Стюарт, вопреки ожиданиям, тонуть вовсе не собирался. Он взбрыкнул посильнее ногами, заработал хвостом — и скоро вновь забрался на борт шхуны — мокрый, озябший, но совершенно невредимый. Занимая место у штурвала, он слышал, как люди, толпящиеся на берегу, кричали:

— Молодец, Стюарт! Молодчина, мышонок!

Оглянувшись, он увидел, что волна опрокинула «Лилиан В.Уомрат». Однако ей удалось выровняться и теперь она резво шла рядом, направляясь к северному концу пруда. Скоро оба корабля достигли берега. Стюарт развернул «Осу», а Рой повернул палкой «Лилиан В.Уомрат».

«Да, до финиша еще далеко!» — подумал Стюарт.

Спустившись в каюту, он увидел, что показания барометра резко упали. Это могло означать лишь одно — впереди шторм. Темное облако набежало на солнце и поглотило его. Земля погрузилась в тень. Одежда мышонка промокла, и он весь дрожал. Поплотнее затянув воротник матросской рубахи, он помахал шляпой стоящему на берегу владельцу «Осы».

— Погода портится, сэр! — крикнул он. — Ветер юго-западный, море волнуется, барометр падает!

— Не обращай внимания на погоду! — отозвался хозяин шхуны. — Следи за курсом, чтобы не столкнуться с другим кораблем!

Стюарт посмотрел вперед, но не увидел ничего, кроме волн, покрытых белыми барашками пены. Мир вокруг был холодным и зловещим.

— Гляди, Стюарт! Гляди, куда плывешь!

Стюарт изо всех сил напряг зрение и вдруг прямо по курсу увидел большой бумажный пакет, неясно вырисовывающийся на поверхности воды. Пакет был широко раскрыт и показался Стюарту целой пещерой.

Стюарт резко крутанул штурвал, но время было упущено. «Оса» въехала бушпритом прямо в пакет и замерла на месте. В следующий момент раздался громкий треск. Это «Лилиан В.Уомрат» со всего маху врезалась в корму «Осы». Шхуну тряхнуло так, что задрожали все ее снасти — от кормы до носа.

— Крушение! Крушение! — закричала толпа на берегу.

Через минуту снасти кораблей были страшно перепутаны. «Оса» не могла двигаться вперед из-за пакета, а «Лилиан В. Уомрат» из-за того, что ей мешала «Оса».

Тем временем бумажный пакет прорвался и начал быстро наполняться водой.

Размахивая руками, Стюарт бросился к пушке и выстрелил из нее по пакету.

— Стюарт! Стюарт! — донесся до него с берега голос владельца шхуны. — Опусти кливер! Опусти стаксель!

Стюарт рванулся к фалам, и кливер со стакселем слетели вниз.

— Обрезай бумагу! — взревел хозяин. — Обрезай!

Стюарт выхватил из кармана перочинный нож и принялся рубить мокрую бумагу. Скоро палуба была полностью очищена.

— Теперь поверни фок-зейль и дай полный ход! — надрывался владелец шхуны.

Стюарт уцепился за укосину фок-зейля и дернул что было сил. Шхуна накренилась и, высвободившись из цепких объятий «Лилиан В. Уомрат», медленно двинулась вперед. По берегу прокатилось громкое

«Ура!». Стюарт ответил на приветствие и занял свое место у штурвала. Оглянувшись, он увидел, что «Лилиан В.Уомрат» сбилась с курса и бестолково крутится в центре пруда.

Зато «Оса», направляемая Стюартом, шла четко к берегу.

Когда Стюарт сошел с борта шхуны, восхищению толпы не было конца. Все были в восторге от его смелости и ловкости. Владелец «Осы» сказал, что это лучший день в его жизни и что он в любое время готов предоставить свой корабль под командование Стюарта. Оказалось, что по профессии владелец шхуны был врач-дантист, звали его Поль Кери, а конструирование кораблей было его хобби.

Все хвалили Стюарта и пожимали ему руки, за исключением полицейского, который был чересчур сердит (он так и не успел обсохнуть).

Когда Стюарт вернулся домой, его брат Джордж поинтересовался, где это он пропадал весь день.

— Да так, болтался по городу, — ответил Стюарт, махнув рукой.

Глава 8
МАРГО

Из-за маленького роста Стюарта было очень трудно разыскивать. Ни маме, ни папе, ни Джорджу это почти никогда не удавалось. Поэтому им приходилось громко звать Стюарта, и эхо по всему дому разносило:

— Стюарт! Стю-ю-ю-ю-арт!

Вы могли быть со Стюартом в одной комнате и не видеть его, даже если он сидел прямо перед вами на стуле. Мистер Литтл очень боялся, что когда-нибудь Стюарт потеряется и не отыщется вновь. И чтобы мышонка было легче заметить, он сшил ему маленькую красную шапочку, подобную тем, в которых обычно ходят охотники.

Когда произошла эта история, Стюарту уже минуло семь лет. Однажды он сидел на кухне и наблюдал за тем, как мама готовит пудинг. Стюарт очень проголодался и, когда миссис Литтл открыла холодильник, он проскользнул внутрь — посмотреть, не найдется ли там кусочка сыра. Он думал, что мама заметила его, и очень удивился, когда дверца холодильника захлопнулась.

— Эй! Помогите! — закричал он. — Здесь темно и холодно! Помогите! Выпустите меня! Я замерзну!

Однако голос его был слишком слабым, а дверца холодильника очень толстой... В темноте Стюарт споткнулся и упал в блюдце с черносливом. Сироп, в котором плавали фрукты, был очень холодным. Стюарт дрожал, его зубы выбивали мелкую дробь.

Через полчаса миссис Литтл снова открыла дверцу холодильника и к своему изумлению увидела Стюарта, который прыгал по тарелке с маслом и дышал на озябшие ладошки, пытаясь согреться.

— Боже! — воскликнула она. — Стюарт! Мальчик мой!

— Как насчет глотка бренди? — поинтересовался Стюарт. — Я продрог до костей!

Бренди мама ему, конечно, не дала. Она накормила его горячим супом, отнесла в постельку, сделанную из сигаретной коробки, и положила в ноги маленькую грелочку.

Но несмотря на это Стюарт тяжело заболел. Простуда перешла в бронхит, и мышонку пришлось проваляться в постели почти две недели. Во время болезни все заботились о нем и старались чем-нибудь развеселить: миссис Литтл играла со Стюартом в ладушки, Джордж сделал ему трубку для пускания мыльных пузырей и лук со стрелами, а мистер Литтл соорудил из пары скрепок коньки.

Однажды вечером миссис Литтл открыла окно, чтобы вытряхнуть с тряпки пыль. На улице было очень холодно. Вдруг миссис Литтл увидела на подоконнике небольшую птичку. Птичка лежала без движения и, казалось, была мертва. Миссис Литтл взяла ее в руки и положила на батарею. Прошло немного времени — и птичка открыла глаза и захлопала крыльями. Это была очень красивая птичка — коричневая, с желтой полоской на грудке, но Литтлы не знали, как она называется.

— Это трясогузка, — с умным видом сказал Джордж.

— Нет, гораздо больше она смахивает на молодую крапивницу, — возразил мистер Литтл.

Как бы то ни было, птичку накормили, налили ей в чашечку воды и отвели для нее место в гостиной.

Скоро птичка уже вовсю скакала по дому, и с любопытством разглядывала все, что попадалось по дороге. Пропрыгав по лестнице, она попала в комнату Стюарта.

— Привет, — поздоровался Стюарт из постели. — Кто ты и откуда ты взялась?

— Меня зовут Марго, — ответила птичка певучим голоском. — Я прилетела с поля, где раньше росла пшеница, с пастбища, где был клевер и чертополох. Я прилетела из долины, где много лабазника, а еще я очень люблю петь.

Стюарт сел в постели.

— Повтори-ка сначала, — попросил он.

— Не могу, — ответила Марго. — У меня горло болит.

— У меня тоже, — обрадовался Стюарт. — У меня бронхит. Ты лучше не подходи близко, а то заразишься.

— Хорошо. Я у двери постою, — кивнула птичка.

— Если хочешь, можешь пользоваться моим полосканием для горла, — предложил Стюарт. — А вон там капли для носа, и еще у меня полно носовых платков.

— Спасибо, — поблагодарила птичка. — Ты очень добр.

— А тебе мерили температуру? — спросил Стюарт, который искренне начинал беспокоиться о здоровье своей новой подруги.

— Нет, — ответила Марго. — Если честно, мне кажется, что это лишнее...

— Лучше уж знать наверняка, — перебил Стюарт и бросил ей градусник. Марго сунула его в клюв, и три минуты они сидели молча. Наконец Марго вынула градусник и осторожно взглянула на него.

— Нормальная, — произнесла она, и Стюарт почувствовал, что его сердце забилось от радости. Еще никогда в жизни он не видел такого красивого существа. Не прошло и четверти часа с момента их встречи, а Стюарт уже успел полюбить свою гостью.

— Надеюсь, мои мама и папа подыщут тебе уютное место, в котором ты сможешь устроиться на ночь, — сказал он.

— Да, конечно, — кивнула Марго. — Я облюбовала прекрасное местечко на книжной полке в гостиной. Там лежит сухой папоротник. Думаю, это лучшее место, какое можно найти в городской квартире. А сейчас, извини, я должна ложиться спать. Уже темнеет, а я всегда засыпаю с заходом солнца. Спокойной ночи, сэр!

— Пожалуйста, не называй меня «сэр»! Зови меня просто Стюарт.

— Хорошо, — согласилась птичка. — Спокойной ночи, Стюарт.

И она упорхнула за дверь.

— Спокойной ночи, Марго! — крикнул Стюарт. — Увидимся утром!

Он снова забрался под одеяло.

— Какая же она все-таки красивая! — вздохнул он.

Скоро в комнату вошла миссис Литтл — поправить Стюарту одеяло и проверить, не забыл ли он помолиться перед сном.

— Мама, а ей там будет безопасно? — спросил он.

— Не беспокойся, мой дорогой, — успокоила Стюарта миссис Литтл. — Снежок не тронет птичку. Спи и не думай об этом.

Она открыла окно и выключила свет.

Стюарт закрыл глаза, но заснуть не смог. Он ворочался в постели, и ему не давала покоя мысль о том, что Марго грозит опасность. Он думал о Снежке, о том, как светятся в темноте его глаза... Почувствовав, что оставаться в постели больше не может, Стюарт щелкнул выключателем.

— Не доверяю я этому коту! — пробормотал он и, скинув одеяло, выбрался из кровати. Затем надел халат, тапочки и, захватив лук, стрелы и фонарик, вышел в холл. Все в доме спали, вокруг было темно. Стюарт медленно спустился по лестнице в гостиную. Горло у него болело, а голова слегка кружилась.

— Здорово я все-таки ослаб, — сказал он себе. — Хотя этого следовало ожидать.

Стараясь не шуметь, Стюарт проскользнул мимо лампы, добрался до книжной полки и по шнуру влез наверх. В тусклом свете фонаря, светившего в окно, Стюарт смог различить смутные очертания птички, лежавшей на папоротнике.

— Пусть сон войдет в глаза твои, а мир в твое сердце... — прошептал Стюарт фразу, которую недавно слышал в кино. Спрятавшись за подсвечником, он принялся ждать. Прошел час. Вокруг было тихо, лишь слегка шуршали крылышки Марго, когда она шевелилась во сне. Часы громко пробили десять. И прежде чем звук последнего удара замер в глубине огромного дома, Стюарт увидел, как из-за дивана вынырнули два желтых блестящих глаза.

— Так! — прошептал Стюарт. — Это не к добру!

Он потянулся за луком и стрелами.

Глаза приближались. Было очень страшно, но Стюарт собрал все свое мужество. Он поднял лук, натянул тетиву и стал ждать. Снежок тем временем мягко подкрался к полке и бесшумно вскарабкался на стул. Затем он притаился, готовясь к прыжку. Его глаза сверкали, хвост напряженно подрагивал. Стюарт решил, что момент настал. Он вышел из-за подсвечника, присел на одно колено и тщательно прицелился в левое ухо Снежка.

— Пожалуй, это лучшее из того, чем мне приходилось когда-либо заниматься, — подумал Стюарт и выпустил стрелу прямо в кошачье ухо.

Снежок взвыл от боли и, спрыгнув вниз, помчался на кухню.

— В яблочко! — воскликнул Стюарт. — Какая удача! Что ж, ночь прошла не совсем бесполезно.

И он послал Марго воздушный поцелуй.

Когда несколько минут спустя Стюарт забирался под одеяло, он чувствовал себя очень усталым и хотел спать, как еще никогда в своей жизни.

Глава 9

СЧАСТЛИВЫЙ ИСХОД

Марго так понравилось в доме Литтлов, что она решила остаться у них на некоторое время. Стюарт очень подружился с птичкой, и с каждым днем она казалась ему все прекрасней. Ему хотелось, чтобы Марго никогда не покидала их дом.

Однажды Стюарт надел лыжные брюки, взял свои новые коньки и отправился на поиски замерзшего пруда. Надо сказать, что к этому времени он уже совершенно оправился после бронхита.

Однако далеко мышонок уйти не успел. Едва он вышел на улицу, как увидел ирландского терьера. Перемахнув через железные ворота, Стюарт прыгнул в мусорный бак и спрятался в куче гнилого сельдерея.

Пока он ждал, когда собака уйдет, к обочине подкатила машина санитарного управления города. Двое мужчин взялись за бак. Стюарт выглянул наружу, и в тот же миг бак поднялся высоко в воздух.

«Если я выпрыгну, то наверняка разобьюсь», — подумал Стюарт и нырнул обратно в мусор. Два мусорщика с грохотом забросили бак в большой грузовик, где третий мусорщик, перевернув бак кверху дном, вывалил его содержимое в кузов. Стюарт оказался среди мокрых, скользких отбросов. Вокруг, сколько хватало глаз, возвышались горы отвратительно пахнущего мусора. Более грязное место трудно было вообразить. Брюки Стюарта были перепачканы яичным желтком, на шапке лежал кусок масла, по рубашке разлилась томатная подливка, в ухо забилась апельсиновая мякоть, а банановая кожура обернулась вокруг талии. Держа в одной руке коньки, Стюарт попытался выбраться на поверхность. Однако почва была слишком зыбкой. Он вскарабкался на кучу кофейной гущи, но она осела, и Стюарт съехал в остатки рисового пудинга.

— Бьюсь об заклад, что меня стошнит прежде, чем я успею выбраться отсюда! — пробормотал он.

Боясь, что его завалят мусором из следующего бака, Стюарт заработал с удвоенной энергией. Когда же он, усталый и дурно пахнущий, выбрался на поверхность, он обнаружил, что грузовик закончил собирать мусор и едет куда-то не останавливаясь. Стюарт взглянул на солнце.

— Так, едем на восток, — сказал он себе. — Интересно, что это может означать?

Выбраться из грузовика не было никакой возможности из-за слишком высоких стенок кузова. Оставалось только ждать.

Скоро грузовик подъехал к маленькой грязной речушке, протекающей в восточной части Нью-Йорка. Въехав на дамбу и развернув машину, водитель вывалил груз на большую мусорную баржу. Стюарт полетел вниз головой и так сильно ударился, что потерял сознание. Он пролежал без движения почти целый час, а когда пришел в себя, с удивлением обнаружил, что вокруг расстилается бескрайняя водная гладь. Баржу буксировали в море.

«Да, — подумал Стюарт. — Хуже нельзя и придумать. Скорее всего, это мое последнее путешествие на этом свете». (Ему было хорошо известно, что когда баржа отойдет подальше от берега, мусор выбросят в море.) Остается встретить смерть, как подобает мужчине! Хотя что это за смерть, когда на брюках у тебя яичный желток, на шапке масло, на рубашке томатная подливка, в ухе — апельсиновая мякоть, а вокруг туловища — банановая кожура!

Мысль о смерти расстроила Стюарта. Он вспомнил о своем доме, об отце, матери, о брате Джордже, о Марго и Снежке, о том, как он их всех любит (кроме Снежка, разумеется), о том, как красив их домик, когда солнце по утрам заглядывает в комнаты через занавески, о том, как шумит вся семья, садясь за стол завтракать... Слезы навернулись у Стюарта на глаза: он подумал, что никогда, никогда больше этого не увидит. Он все еще плакал, когда вдруг услышал за спиной тоненький голосок:

— Стюарт!

Он оглянулся и сквозь слезы увидел... На полусгнивших остатках брюссельской капусты сидела Марго!

— Марго! — воскликнул Стюарт. — Как ты оказалась здесь?

— Очень просто, — отозвалась птичка. — Когда ты утром вышел из дома, я посмотрела в окно и увидела, что ты попал в мусорный бак и тебя увез грузовик. Я полетела следом, подумав, что, быть может, тебе понадобится моя помощь.

— Никогда и никому в жизни я не был так рад! — сказал Стюарт. — Но как ты можешь мне помочь?

— Думаю, если ты уцепишься за мои ноги, — ответила Марго, — я смогу долететь вместе с тобой до берега. Во всяком случае стоит попытаться. Ты сколько весишь?

— Три с половиной унции.

— Вместе с одеждой?

— Конечно, — заверил ее Стюарт.

— Тогда все должно получиться.

— А вдруг у меня закружится голова? — с опаской спросил Стюарт.

— Не смотри вниз, — посоветовала Марго, — тогда не закружится.

— А вдруг меня затошнит?

— Не велика беда, — ответила птичка. — По крайней мере это лучше, чем смерть.

— Это верно, — согласился Стюарт.

— Тогда хватайся. Пора лететь!

Стюарт сунул за пазуху коньки, бодро шагнул на пучок салата и ухватил Марго за лапки.

— Готово! — крикнул он.

Марго расправила крылышки и взмыла в небо. Она несла Стюарта над морем, несла его домой.

— Уф! — произнесла она вдруг. — Как же ты ужасно пахнешь, Стюарт!

— Знаю! — отозвался он мрачно. — Надеюсь, тебе не станет от этого плохо.

— Я еле дышу! — простонала Марго. — Я устала. Не мог бы ты сбросить что-нибудь вниз и стать полегче?

— Ну, я могу сбросить коньки, — предложил Стюарт.

— Бог мой! — вскричала птичка. — Неужели ты спрятал коньки под рубашку? Сейчас же выброси эту тяжесть, иначе мы упадём в океан и погибнем!

Стюарт бросил коньки и с грустью смотрел, как они медленно падали вниз, пока не скрылись в серых волнах.

— Вот так-то лучше, — похвалила его Марго. — Теперь мы спасены. Я уже вижу крыши домов и трубы Нью-Йорка.

Через пятнадцать минут они влетели в открытое окно гостиной Литтлов и приземлились на полку, где был разложен папоротник. Миссис Литтл не стала запирать окно, увидев, что Марго куда-то полетела. Она несказанно обрадовалась их возвращению, потому что уже начинала волноваться. Когда ей рассказали о том, что случилось, миссис Литтл взяла Стюарта в руку и, несмотря на то, что его одежда скверно пахла, поцеловала. Она не могла поверить, что едва не потеряла сына. Затем она отослала Стюарта принимать ванну, а Джорджу поручила отнести его вещи в химчистку.

— А как там, в Атлантическом океане? — спросил мистер Литтл, потому что сам никогда не бывал так далеко от дома.

Стюарт и Марго рассказали ему об океане все, что помнили, — о серых волнах с белыми гребешками, о чайках, кружащих в небе, о буйках на канале, о кораблях и буксирах, о ветре, свистящем в ушах. Мистер Литтл выслушал, потом вздохнул и сказал, что когда-нибудь обязательно оторвется от дел и сам посмотрит на эти замечательные вещи.

Все были очень благодарны Марго за то, что она спасла жизнь Стюарту, а миссис Литтл, когда подошло время ужина, преподнесла ей маленькое пирожное, посыпанное сверху душистыми вкусными семечками...

Глава 10
ВЕСНА

Кот Снежок любил ночь намного больше, чем день. Возможно, потому, что его глаза могли видеть в темноте. А может, из-за того, что ночью в Нью-Йорке происходит гораздо больше интересного, чем днем.

У Снежка по соседству жило несколько друзей. Некоторые из них были домашними котами, а некоторые — магазинными. Снежок знал мальтийского кота из супермаркета, белого персидского из многоквартирного дома напротив, темно-рыжего кота из закусочной, полосатого из подвала местной библиотеки и прекрасную молодую ангорскую кошку, сбежавшую из зоомагазина на Третьей авеню. Она жила вольной жизнью в домике для хранения садовых инструментов на заднем дворе Литтлов.

Однажды чудесным весенним вечером Снежок навещал Ангорку. Наконец он собрался идти домой, но вечер был таким прекрасным, что Ангорка решила прогуляться с ним за компанию. Дойдя до дома Литтлов, обе кошки уселись у корней дикого винограда, оплетавшего нижнюю часть стены. Виноград этот очень нравился Снежку, потому что по нему можно было ночью влезать через открытое окно в комнату Джорджа.

В этот вечер Снежок рассказал своей подруге о Стюарте и Марго.

— Боже мой! — не поверила Ангорка. — Уж не хочешь ли ты сказать, что живешь под одной крышей с мышью и птицей и ничего не предпринимаешь?

— Так оно и есть, — ответил Снежок. — Но что я могу поделать? Стюарт — член семьи, а птица — гость.

— Да, — сказала подружка Снежка. — У тебя выдержки больше, чем у меня!

— Иногда мне кажется, что у меня ее слишком много! — проворчал Снежок. — Из-за того, что мне все время приходится сдерживаться, я недавно даже заболел.

Голоса кошек становились все громче. Они так увлеклись разговором, что не услышали слабый шорох, донесшийся сверху, из зарослей винограда. Это был серый голубь, который спал на чердаке и которого они разбудили.

«Интересно, — подумал он. — О чем эти кошки так громко разговаривают? Пожалуй, надо послушать».

— Вот что я тебе скажу, — говорила между тем Ангорка Снежку. — Я признаю, что кошка имеет обязательства по отношению к своим хозяевам. Поэтому тебе нельзя съесть Марго. Но я не член семьи, и ничто не помешает мне это сделать.

— Да, против этого возразить сложно, — согласился Снежок.

— Тогда я пошла, — промурлыкала Ангорка и начала взбираться по виноградной лозе. Голубь проснулся окончательно и уже собрался было улететь, но Снежок остановил свою подругу.

— Погоди-ка, — сказал он, — не торопись. Думаю, сегодня туда не надо идти.

— Почему? — удивилась Ангорка.

— Во-первых, тебе не положено входить в дом. Это будет незаконное вторжение. Во-вторых, могут возникнуть неприятности с хозяевами...

— У меня не будет неприятностей, — перебила Ангорка.

— Пожалуйста, подожди до завтрашней ночи, — твердо сказал Снежок. — Миссис и мистер Литтл собираются в гости, и риск будет намного меньше.

— Ну, хорошо, — согласилась Ангорка. — Я могу и подождать. Скажи мне только, где искать птичку.

— Это очень просто, — принялся объяснять Снежок. — После того как влезешь по лозе в комнату Джорджа, спустись в гостиную. Там на книжной полке разложен папоротник. На нем-то птичка и спит.

— Действительно просто, — мяукнула Ангорка, облизываясь. — Я перед вами в долгу, сэр!

«Ну и ну!» — подумал голубь и скорее полетел искать листок бумаги и карандаш.

Снежок, пожелав подруге спокойной ночи, взобрался по лозе и отправился спать.

На следующее утро на одной из веточек папоротника Марго нашла записку. В ней говорилось: «Берегись чужой кошки, которая придет этой ночью». Ниже стояла подпись — «Доброжелатель».

Марго целый день размышляла над тем, что ей следует предпринять. Она не смела никому рассказать о случившемся — даже Стюарту. Она была так напугана, что у нее совершенно пропал аппетит.

«Что же делать? Что же делать?» — постоянно спрашивала она себя.

Наконец, когда солнце уже начало садиться, Марго приняла решение. Допрыгав до открытого окна, она выскользнула наружу и, никому ничего не сказав, улетела. Была весна, и Марго держала путь на север. Она не знала, почему выбрала именно это направление, но что-то внутри нее подсказывало, что север — это единственно правильный путь для птицы, когда на землю приходит весна.

Глава 11

АВТОМОБИЛЬ

Три дня Литтлы всей семьей искали Марго, но нашли лишь одно-единственное перышко.

— Думаю, у нее началась весенняя лихорадка, — предположил Джордж. — Ни одна нормальная птица не станет сидеть дома в такую погоду.

— А может, у нее где-то есть муж, и она полетела к нему, — задумчиво произнес мистер Литтл.

— Нет у нее мужа! — заплакал Стюарт. — Что за ерунда!

— Откуда ты знаешь? — спросил Джордж.

— Потому что я спрашивал у нее об этом, — всхлипывал Стюарт, — она сказала, что одинока.

Тогда все принялись расспрашивать Снежка, но он настаивал на том, что ничего не знает об исчезновении Марго.

— Почему всегда во всем обвиняют меня? — раздраженно огрызнулся он. — Просто эта противная пискля наконец решила улететь из неволи.

У Стюарта сердце разрывалось на части. У него пропал аппетит. Он почти совсем ничего не ел и терял в весе.

Наконец он решил, что убежит из дома и пойдет по свету искать Марго.

«Может, заодно найду и свое счастье», — думал он.

На следующее утро, незадолго до рассвета, Стюарт достал свой самый большой носовой платок и сложил в него зубную щетку, деньги, мыло, расческу, чистую пару белья и карманный компас.

«Надо взять что-нибудь на память о маме», — подумал он.

Тихо войдя в ее спальню, Стюарт взобрался по шнуру на туалетный столик и вынул из расчески несколько маминых волосков. Потуже затянув концы платка, он прикрепил узелок к спичке. Затем перекинул ее через плечо, надел серую фетровую шляпу и украдкой выбрался из дома.

— Прощай, родной дом, — прошептал он. — Кто знает, увижу ли я тебя когда-нибудь?

Некоторое время Стюарт стоял в нерешительности. Мир вокруг был огромен. Север, юг, запад, восток...

Куда пойти, где отыскать пропавшую птичку? Вопрос был слишком важным, и Стюарт решил, что ему не обойтись без чьего-нибудь совета. И тут он вспомнил о своем друге, докторе Кери, хирурге-дантисте, владельце шхуны «Оса».

Доктор очень обрадовался Стюарту. Он провел его в свой кабинет, где в это время сидел пациент и дожидался, когда ему удалят зуб. Звали пациента Эдуард Клайдсдэйл. Рот его был широко открыт, а за щеку напиханы ватные тампоны. Зуб оказался крепким, и доктору пришлось изрядно повозиться. Поэтому он посадил Стюарта на поднос с инструментами; так он мог и удалять зуб, и разговаривать с гостем одновременно.

— Это мой друг, Стюарт Литтл, — сообщил доктор мужчине с ватными тампонами за щекой.

— А-а-к фофыфаэте, Фуафт? — попытался спросить мужчина.

— Спасибо, хорошо, — ответил Стюарт, догадавшись, что тот спросил, как он поживает.

— Ну, Стюарт, что ты задумал? — поинтересовался доктор Кери, стискивая зуб пациента щипцами и дергая изо всех сил.

— Сегодня утром я убежал из дома, — сказал Стюарт. — Отправляюсь бродить по свету и искать пропавшую птицу. Как вы думаете, в какую сторону мне пойти?

Доктор Кери подергал щипцы вперед, потом назад. Видя, что это не дает никакого результата, он принялся крутить их по часовой стрелке, потом против.

— Какого цвета птичка? — спросил он наконец.

— Коричневого, — ответил Стюарт.

— Тогда иди на север, — посоветовал доктор Кери. — Правда, мистер Клайдсдэйл?

— Фофофи ф фыфафьом фафке, — отозвался пациент.

— Что? — не понял Стюарт.

— Я фофою, фофофи ф фыфафьом фафке! — повторил мистер Клайдсдэйл.

— Он хочет сказать «посмотри в Центральном парке», — объяснил доктор Кери.

— А еффи фы фе файфешь фифу ф фы-фафьом фафке, фафись фа фоеф Фью-Фьофк — Фью-Фефеф и фифи ее ф Фофеффефуфе.

— А если ты не найдешь птицу в Центральном парке, садись на поезд Нью-Йорк — Нью-Хэвен и ищи ее в Коннектикуте, — перевел доктор.

— Прополощите рот, пожалуйста, — сказал он, удалив ватные тампоны из-за щеки мистера Клайдсдэйла.

Тот взял стакан, стоявший рядом, и сосредоточенно забулькал.

— Скажи мне, Стюарт, — спросил доктор Кери, — как ты собираешься путешествовать? Пешком?

— Да, сэр, — кивнул Стюарт.

— Думаю, на автомобиле было бы удобнее. Сейчас, только выдерну зуб, и мы что-нибудь подыщем. Откройте рот, мистер Клайдсдэйл.

Доктор Кери снова ухватился щипцами за зуб и принялся с таким ожесточением его дергать, что зуб поддался. Все с облегчением вздохнули, в особенности мистер Клайдсдэйл.

Доктор взял Стюарта в руку и ушел с ним в соседнюю комнату. Там он достал с полки маленький автомобиль. Такой чудесной вещицы Стюарт еще ни разу в жизни не видел. Автомобиль был всего шести дюймов длиной, но выглядел совсем как настоящий.

— Я сам его сделал! — похвастался доктор Кери. — Я люблю конструировать лодки, автомобили и другие вещи, когда у меня есть свободное время. У этого автомобиля настоящий бензиновый мотор! И довольно мощный. Как думаешь, Стюарт, ты справишься с управлением?

— Конечно, — заверил его Стюарт, заглядывая в кабину и нажимая на клаксон. — Но не привлечет ли это лишнего внимания? Наверняка все прохожие будут останавливаться и глазеть на такой маленький автомобиль.

— Да, — согласился доктор Кери. — Но только в том случае, если увидят тебя. Но они не заметят ни тебя, ни автомобиля.

— Почему? — удивился Стюарт.

— Потому что мой автомобиль — самая современная машина! Он не только бесшумный, но еще и невидимый!

— Но я его вижу! — возразил Стюарт.

— Нажми на эту маленькую кнопочку! — сказал доктор и показал кнопку на приборном щитке.

Стюарт нажал. В ту же секунду машина стала невидимой.

— Нажми еще раз, — сказал доктор.

— Как же я могу нажать, если я ее не вижу? — не понял Стюарт.

— На ощупь!

Стюарт принялся шарить вокруг, пока его рука не наткнулась на какую-то кнопку. Решив, что это та самая кнопка, он нажал на нее. Внезапно послышался слабый шум, и что-то выскользнуло из-под руки Стюарта.

— Эй, берегись! — закричал доктор Кери. — Ты нажал стартер! Машина уехала и потерялась в комнате! Теперь мы ее никогда не поймаем!

Он взял Стюарта и поставил на стол, где его не могла сбить удравшая машина.

— О боже! О боже! — застонал Стюарт, когда наконец понял, что натворил.

А невидимый автомобиль гонял по комнате, натыкаясь на все, что попадалось по дороге. Сначала раздался оглушительный треск у камина — упала кочерга. Доктор Кери бросился к камину. Однако едва он достиг его, как что-то загрохотало у мусорной корзины. Доктор метнулся к корзине. Прыжок! Грохот! Прыжок! Грохот!

Доктор бегал по комнате, пытаясь поймать невидимый автомобиль.

— Ой! Ой! — кричал Стюарт, прыгая на столе. — Я ужасно виноват! Мне очень стыдно!

— Принеси сачок! — прохрипел доктор.

— Не могу, — отозвался Стюарт. — Я слишком маленький для этого.

— Ах, да, я забыл, — опомнился доктор Кери. — Прошу прощения, Стюарт.

— А машина все равно когда-нибудь остановится. Потому что у нее кончится бензин.

— И то правда, — согласился доктор.

Они сели и принялись ждать. Скоро грохот прекратился. Доктор встал на колени и стал осторожно ползать по полу, пока наконец не отыскал машину. Она была в камине, наполовину засыпанная золой. Доктор нажал нужную кнопку, и автомобиль снова стал видимым.

Передние крылья у него были смяты, фары разбиты, ветровое стекло треснуло, радиатор потек, правая задняя шина спустила, а с капота отлетел большой кусок краски.

— Ну и каша! — простонал доктор. — Стюарт, надеюсь, это послужит тебе хорошим уроком! Никогда не нажимай кнопки, если не знаешь, для чего они предназначены.

— Да, сэр, — кивнул Стюарт, и его глаза наполнились слезами.

Утро закончилось как нельзя хуже, и Стюарту в душе уже хотелось вернуться домой. Он был уверен, что никогда больше не увидит Марго.

Глава 12

В ШКОЛЕ

Пока доктор Кери ремонтировал машину, Стюарт отправился в магазин. Он решил, что так как ему предстоит долгое путешествие, будет не лишним запастись необходимой одеждой. Придя в магазин, где продавались куклы (и где одежда была подходящего для него размера), Стюарт купил себе чемодан, костюм, несколько рубашек и другие необходимые мелочи. Покупками он остался очень доволен.

Ночь он провел в квартире доктора Кери.

На следующее утро Стюарт поднялся очень рано и сразу отправился в путь, так как не хотел попасть в транспортную пробку. Машин вокруг было мало. Стюарт проехал через Центральный парк на Сто десятую улицу, затем — через Западное шоссе в северном направлении.

Автомобиль резво бежал вперед. Люди, попадавшиеся на пути, нагибались и с удивлением смотрели на необычную машину. Но Стюарт не обращал на это внимания. Он решил, что никогда больше не воспользуется кнопкой, которая доставила столько неприятностей накануне.

Когда взошло солнце, Стюарт заметил человека, в задумчивости сидящего у обочины. Подъехав ближе, Стюарт остановил машину и выглянул из окна.

— Вы чем-то озабочены? — спросил он.

— Да, — грустно кивнул мужчина.

— Может, я смогу вам чем-то помочь? — дружелюбно поинтересовался Стюарт.

Мужчина отрицательно покачал головой.

— Думаю, мне никто уже не поможет. Дело в том, что я школьный инспектор, я отвечаю за работу всех учителей в этом городе.

— Да, ситуация, конечно, не из лучших, но помочь все же можно... — начал было Стюарт, но мужчина продолжил:

— У меня всегда полно проблем! Вот и сегодня одна из учительниц заболела. Ее зовут мисс Гендерсон, и она преподаёт в школе № 7. Мне надо найти ей замену!

— Что же с ней случилось?

— Точно не знаю. Доктор сказал, что она заболела, — ответил инспектор.

— И вы не можете найти другого учителя? — спросил Стюарт.

— В том-то вся и беда! Во всём городе нет ни одного свободного учителя! А занятия должны начаться через час!

— Если вы не возражаете, я мог бы заменить мисс Гендерсон на один день, — предложил Стюарт.

Управляющий оживился.

— Действительно?

— Конечно, — сказал Стюарт. — С удовольствием!

Он открыл дверцу своей машины, вышел из неё и достал из багажника чемодан.

— Если я буду вести занятия, то мне лучше сменить костюм, — объяснил Стюарт и, поднявшись на насыпь, скрылся в кустах. Через несколько минут он вернулся. На нем были крапчатый шерстяной пиджак, полосатые брюки, галстук и очки. Свой дорожный костюм Стюарт аккуратно сложил и упаковал в чемодан.

— Думаете, вам удастся поддерживать дисциплину на должном уровне? — спросил инспектор.

— Удастся, — заверил его Стюарт. — Я сделаю работу интересной, и дисциплина будет поддерживаться сама по себе. Не волнуйтесь.

Инспектор поблагодарил его, и они пожали друг другу руки.

Без четверти девять на занятия пришли школьники. Когда им стало известно, что мисс Гендерсон заболела и у них будет замена, радости не было конца.

— Замена! — шепотом сообщали те, кто уже знал последние новости, тем, кто пребывал в неведении. — Замена! Замена!

Известие распространилось молниеносно, и скоро уже все в классе знали, что по крайней мере один день они отдохнут от мисс Гендерсон. Ученики с нетерпением ожидали нового учителя.

Стюарт прибыл в девять. Он припарковал машину у школы и гордо прошествовал в класс. На стол он вскарабкался по линейке, стоявшей рядом. На столе он обнаружил чернильницу, указку, несколько ручек и карандашей, пузырек чернил, мел, звонок и три книги, уложенные в стопку. Взобравшись на книги, Стюарт прыгнул на кнопку звонка. Его тяжести оказалось вполне достаточно, чтобы звонок зазвонил. Подойдя к переднему краю стола, Стюарт сказал:

— Обратите на меня внимание, пожалуйста!

Ученики тут же столпились вокруг стола, чтобы взглянуть на нового учителя. Стюарт всем очень понравился. Мальчики громко смеялись, а девочки тихонько хихикали. Дети были в восторге от того, что урок будет вести такой маленький, такой симпатичный и, самое главное, соответственно одетый преподаватель.

— Пожалуйста, внимание! — повторил Стюарт. — Как вам уже известно, мисс Гендерсон заболела и вести урок вместо нее буду я.

— А что с ней случилось? — нетерпеливо спросил Рой Харт.

— Приняла не те витамины, — не моргнув глазом, ответил Стюарт. — Она приняла витамин «Д», а нужно было витамин «А». Потом приняла витамин «В», хотя у нее был недостаток витамина «С». Ее организм оказался перегружен рибофлавином, тимином гидрохлоридом и даже пиродоксином, необходимость которого для человеческого организма весьма спорна. Это урок для всех нас!

Он обвел класс пристальным, строгим взглядом. Дети притихли и больше не задавали вопросов о здоровье мисс Гендерсон.

— Теперь займите свои места, — скомандовал Стюарт.

Ученики послушно, один за другим, пошли по проходам и сели за парты.

Стюарт откашлялся. Затем, взявшись за лацканы пиджака, чтобы выглядеть по меньшей мере, как профессор, спросил:

— Кто-нибудь отсутствует?

Все были на месте.

— Кто-нибудь опоздал?

Все отрицательно замотали головами.

— Очень хорошо, — сказал Стюарт. — Какой предмет у вас обычно идет по расписанию первым?

— Арифметика! — закричали дети.

— Подумаешь, арифметика! — фыркнул Стюарт. — Давайте ее пропустим.

Детям очень понравилось это предложение, они тут же согласились пропустить арифметику.

— Следующий предмет? — спросил Стюарт.

— Правописание, — сообщили школьники.

— Что же, — кивнул Стюарт. — Неправильно написанное слово — это действительно очень плохо! Я считаю, что писать нужно грамотно и советую для этого купить Академический словарь Вебстера и сверяться с ним всякий раз, когда у вас возникают сомнения. Итак, с правописанием покончили. Что потом?

Ученики были в восторге. Они смотрели друг на друга, смеялись и от радости махали платками и линейками. Стюарту пришлось снова взобраться на стопку книг и прыгнуть на звонок, чтобы призвать класс к порядку.

— Что следующее? — снова спросил он.

— Чистописание! — хором ответили школьники.

— Боже мой! — проговорил с отвращением Стюарт. — Дети, неужели вы до сих пор не научились писать?

— Конечно, научились! — закричали все как один.

— Ну и хватит тогда! — решил Стюарт.

— Следующий урок — обществоведение, — сказала Элизабет Гарднер.

— Обществоведение? — удивился Стюарт. — Никогда о нем не слышал. Вообще было бы чудесно вместо изучения всех этих предметов просто поговорить о том о сем.

Ученики недоуменно переглянулись.

— А мы могли бы поговорить о том, что чувствует человек, когда держит в руке змею? — поинтересовался Артур Гринлоу.

— Могли бы, но, думаю, не стоит, — ответил Стюарт.

— А о грехе и пороках? — с надеждой спросила Лидия Лейси.

— Нет. Попробуйте еще раз.

— Может, давайте поболтаем о толстой женщине с бородой из цирка? — придумал Исидор Файнберг.

— Нет, — покачал головой Стюарт. — Мы поговорим о Короле Мира.

Он обвел взглядом класс, ожидая, что детям эта идея понравится.

— Никакого Короля Мира нет, — разочарованно протянул Гарри Джеминсон.

— Ну и что? — спросил Стюарт. — Он должен быть.

— Короли старомодны! — возразил Гарри.

— Ну, хорошо. Давайте тогда поговорим не о Короле, а о Правителе Мира. Все зло происходит в мире из-за того, что у него нет Правителя! Я сам бы хотел стать Правителем Мира.

— Вы слишком малы для этого, — сказала Мэри Бендикс.

— Ерунда! — махнул рукой Стюарт. — Рост тут ни при чем. Все решают способности и темперамент. Председатель должен иметь к этому призвание и знать, что важно, а что нет. Кто знает, что важно?

Все руки взлетели в воздух.

— Очень хорошо! — похвалил детей Стюарт. — Генри Рекмейер, скажи нам, что важно.

— Луч солнечного света в конце ненастного дня, нота в музыке и то, как пахнет шейка маленького ребенка, когда мама нежно держит его на руках, — ответил Генри.

— Правильно, — сказал Стюарт. — Это все очень важно. Но ты забыл еще одну очень важную вещь. Мэри Бендикс, что забыл Генри?

— Он забыл мороженое с шоколадным сиропом, — быстро ответила Мэри.

— Точно! — одобрил Стюарт. — Мороженое! Ну а теперь, если я собираюсь сегодня утром быть Правителем Мира, мы должны договориться о правилах. Иначе все будут делать что угодно и вести себя как захотят, из-за чего может возникнуть большая неразбериха. В общем, для того чтобы играть в эту игру, нам нужны законы. Кто-нибудь может предложить хорошие законы для Мира?

Альберт Фернстром поднял руку.

— Не есть грибы, — предложил он. — Они могут оказаться поганками.

— Это не закон, — возразил Стюарт. — Это просто дружеский совет. Хотя и очень хороший. Но совет и закон — разные вещи, Альберт. Закон звучит гораздо торжественней. Намного торжественней! Ну, кто-нибудь придумал?

— Ничего не брать без разрешения! — торжественно провозгласил Джон Полдовски.

— Прекрасно! — согласился Стюарт. — Очень хороший закон!

— Никого не травить, кроме крыс, — сказал Энтони Брендизи.

— Нет, не годится. Это несправедливо по отношению к крысам. А закон должен быть справедлив для всех, — заметил Стюарт.

Энтони нахмурился.

— Но крысы несправедливы к нам! Они противные!

— Согласен, — сказал Стюарт. — Но с крысиной точки зрения яд является злом. Правитель должен видеть все стороны проблемы.

— У вас крысиная точка зрения? — удивился Энтони. — Вы даже похожи на крысу.

— Нет, у меня не крысиная, а мышиная точка зрения, что совсем не одно и то же. Я вижу вещи в целом. Так вот, для меня очевидно, что крысы лишены всяческих привилегий. Они никогда не имели возможности выступать открыто.

— Крысы не любят открытости, — уверенно сообщила Агнес Беретска.

— Это потому, что когда они начинают выступать, их обязательно кто-нибудь хватает. Они, может, и полюбили бы открытость, если бы у них была возможность ею воспользоваться. Никто больше не придумал никаких законов?

Агнес Беретска подняла руку.

— Я предлагаю закон против драк.

— Неосуществимо, — сказал Стюарт. — Мужчины любят драться. Но это уже теплее, Агнес.

— Не царапаться? — застенчиво проговорила Агнес.

Стюарт отрицательно покачал головой.

— Не вредничать? — предположила Милред Хоффенштейн.

— Прекрасный закон! — воскликнул Стюарт. — Когда я буду Правителем Мира, тот, кто завредничает, испытает его на себе.

— Не сработает, — заметил Герберт Преднергаст. — Некоторые люди от природы вредные. Например Альберт Фернстром.

— Может быть, и так, — согласился Стюарт. — Но это хороший закон, и можно проверить, будет ли он действовать прямо сейчас. Пусть кто-нибудь сделает другому что-то гадкое. Гарри Джеминсон, ты обидишь Катарину Стэйблфорд. Что у тебя в руках, Катарина?

— Это маленькая подушечка со сладким бальзамом.

— Как говорится, «по тебе я тоскую, для тебя мой бальзам»?

— Да, — кивнула Катарина.

— Она тебе очень нравится? — спросил Стюарт.

— Очень, — призналась Катарина.

— Прекрасно, Гарри, хватай ее! Отбирай!

Гарри подбежал к Катарине, выхватил подушечку у нее из рук и шмыгнул на свое место.

— А теперь, — провозгласил Стюарт строгим голосом, — минутку терпения! Ваш Правитель перелистает сейчас книгу Законов!

Стюарт сделал вид, будто перелистывает страницы большой книги.

— Вот. Страница 492. «Абсолютно никаких гадостей». Страница 560. «Никогда не брать чужое без спроса». Гарри Джеминсон нарушил сразу два закона! Давайте заставим Гарри исправиться, а то вдруг он станет таким гадким, что люди перестанут здороваться с ним!

Стюарт подбежал к линейке и скользнул вниз, будто пожарник по трубе в горящем доме. Дети тоже повскакивали со своих мест и столпились вокруг Гарри, пока Стюарт уговаривал его отдать подушечку Катарине. Гарри, казалось, был не на шутку напуган, хотя прекрасно знал, что это всего лишь игра.

Наконец он возвратил подушечку.

— Ну вот, — сказал Стюарт, — прекрасно сработало! «Не вредничать» — очень хороший закон!

Он вытер лицо платком — должность Правителя Мира требовала гораздо большего напряжения, чем он предполагал.

Катарине было очень приятно получить подушечку обратно.

— Дай мне ее на минутку, — попросил Стюарт.

Катарина протянула ему подушечку. Она была очень красивая, размером почти с мышонка. И он вдруг подумал, что неплохо было бы иметь такую кроватку — удобную и благоухающую.

— Какая милая вещица, — проговорил Стюарт, стараясь скрыть охватившее его волнение. — А не хочешь ли ты продать ее?

— Нет, — покачала головой Катарина. — Мне ее подарили.

— Да. Наверное, тебе подарил ее мальчик, которого ты встретила на озере прошлым летом. Подушечка напоминает тебе о нем, — прошептал Стюарт задумчиво.

— Да, — покраснев, сказала Катарина.

— Эх, — вздохнул Стюарт, — лето — это так прекрасно! Правда, Катарина?

— Правда. И прошлое лето было самым замечательным в моей жизни.

— Представляю, — еще раз вздохнул Стюарт. — Так значит, ты не хочешь продать подушечку?

Катарина отрицательно покачала головой.

— Что ж, ничего не поделаешь, — развел руками Стюарт. — Лето — очень важное время для всех. Это как луч солнца...

— Или нота в музыке, — продолжила Элизабет Эшсон.

— Или то, как пахнет шейка ребенка, когда мама нежно держит его на руках, — добавила Мерилин Робертс.

— Никогда не забывайте о лете, — тихо сказал Стюарт, обводя взглядом учеников. — Никогда! Ну, а теперь мне пора. Был очень рад познакомиться с вами. Уроки окончены.

Он быстро вышел из класса, влез в машину и, махнув на прощание рукой, двинулся дальше на север. А дети бежали следом за маленьким автомобилем и кричали: «До свидания!» Каждый из них думал о том, как было бы замечательно, если бы в школе каждый день была такая замена...

Глава 13

ЭЙМС КРОССИНГ

Это был самый прекрасный городок из всех, какие только доводилось видеть Стюарту. Дома здесь были белыми и высокими, пышные вязы поднимались над крышами, задние дворы и палисадники утопали в зелени. Улицы плавно сбегали вниз, к реке, а река несла свои воды мимо старого моста, мимо лужаек и рощ, мимо полей и пастбищ, мимо холмов, упирающихся вершинами в высокое бескрайнее небо.

Именно в этом чудесном городке Стюарт и остановился выпить немного газировки.

Он припарковал автомобиль около магазина и выбрался наружу.

Солнце пригревало так ласково, что Стюарт присел на крыльцо — насладиться замечательным днем и заодно немного отдохнуть. Более мирного и красивого города Стюарт еще никогда не встречал. Он подумал, что с удовольствием прожил бы здесь остаток своей жизни, если бы не тоска по маме, папе и Джорджу, оставшимся в Нью-Йорке, и желание отыскать так внезапно исчезнувшую Марго.

Прошло несколько минут, и из магазина вышел хозяин — выкурить сигарету и немного посидеть на ступеньках. Он хотел предложить сигарету Стюарту, но, увидев, как тот мал, передумал.

— У вас в магазине есть газировка? — спросил Стюарт. — Ужасно хочется пить.

— Конечно, — ответил хозяин. — Целые галлоны. У нас есть все: и пиво с кореньями, и пиво березовое, и имбирное, и лимонад, и кока-кола, и пепси-кола, и малиновый тоник... Все что угодно!

— Дайте мне бутылку лимонада, пожалуйста, — попросил Стюарт. — И бумажный стаканчик.

Хозяин сходил в магазин и вернулся с напитком. Он открыл бутылку и, наполнив стакан, поставил его на ступеньку рядом со Стюартом. Стюарт зачерпнул из стакана прохладный напиток.

— Прекрасно освежает, — заметил он. — Если путешествуешь в такой жаркий день, нет ничего лучше хорошего прохладительного напитка.

— Далеко направляетесь? — поинтересовался хозяин.

— Не знаю, — пожал плечами Стюарт. — Я ищу птичку по имени Марго. Вы ее случайно не видели?

— Не уверен, — ответил лавочник. — А как она выглядит?

— О, она прекрасна! — воскликнул Стюарт, смахивая лимонад с усов. — Она замечательная! Она прилетела из тех мест, где растет чертополох.

Хозяин магазина пристально посмотрел на Стюарта.

— Какой у вас рост? — спросил он вдруг.

— Вас интересует мой рост вместе с ботинками?

— Да.

— Два дюйма с четвертью, — ответил Стюарт. — Однако я давно не измерял своего роста. Вполне вероятно, что я немного подрос.

— Все дело в том, — задумчиво проговорил лавочник, — что в этом городе есть особа, с которой вам просто необходимо встретиться.

— И кто это? — поинтересовался Стюарт.

— Харриет Эймс. Она как раз вашего роста. Может, даже чуть-чуть меньше.

— А как она выглядит? Веселая, толстая, лет сорока? — усмехнулся Стюарт.

— Нет. Харриет молода и довольно хороша собой. Кроме того, она прекрасно одевается. Ее родители, Эймсы, — уважаемые люди в этом городе. Один из их предков был здесь паромщиком еще в дни Войны за независимость. Он, бывало, перевозил через реку любого — будь то британский солдат или американский — лишь бы они платили деньги. Думаю, он поступал правильно. Так или иначе, но у Эймсов всегда было много денег. Они живут в большом доме со множеством слуг. Мне кажется, что Харриет захочет встретиться с вами.

— Спасибо. Очень любезно с вашей стороны, — поблагодарил Стюарт. — Но, честно говоря, мне в эти дни не до знакомств. Я нигде не задерживаюсь надолго. Сегодня здесь, завтра там. Шоссе да безлюдные дороги — вот и все мое общество. Ведь я ищу Марго. Иногда мне кажется, что она совсем рядом — где-то за поворотом, а порой меня одолевают сомнения, увижу ли я ее вообще когда-нибудь. Ну, мне пора.

Стюарт расплатился за напиток, попрощался с лавочником и уехал.

Но Эймс Кроссинг был слишком красивым городом, чтобы его можно было так просто покинуть. Поэтому, достигнув конца главной улицы, Стюарт свернул влево, на грунтовую дорогу, ведущую на берег тихой реки.

Весь день он плавал и отдыхал на поросшем мхом берегу. Но его мысли то и дело возвращались к разговору с лавочником.

— Харриет Эймс, — шептал он.

Наступил вечер, а Стюарт все еще был на берегу реки. Он съел легкий ужин, состоящий из бутерброда с сыром и глотка воды, и уснул в теплой траве под звуки тихо журчащей реки.

Едва солнце взошло над землей, Стюарт проснулся и снова скользнул в воду. После завтрака он спрятал автомобиль под капустным листом и отправился на почту.

Там он уже забрался на стол, чтобы обмакнуть перо в чернильницу, но случайно взглянул на дверь. То, что он увидел, было настолько неожиданным, что Стюарт чуть не свалился в чернила. Девочка всего двух дюймов ростом вошла в здание почты и направилась к почтовым ящикам. На ней был спортивный костюм, а в волосах вместо заколки красовалась тычинка от цветка.

Стюарт задрожал от восторга.

«Это, должно быть, девочка Эймсов», — догадался он.

Спрятавшись за чернильницей, Стюарт наблюдал, как девочка открывала почтовый ящик шириной не больше дюйма и вынимала письма. Лавочник сказал правду: Харриет была очень хорошенькой. И, конечно, она была единственной девочкой приблизительно одного роста с ним! Стюарт прикинул, что если бы они пошли рядом, то ее голова оказалась чуть выше его плеча. Это еще больше разожгло его любопытство. Стюарт хотел спрыгнуть на пол и поговорить с ней, но отчего-то решимость покинула его и он прятался за чернильницей, пока Харриет не ушла. Удостоверившись, что девочки нигде нет, Стюарт выбежал из здания почты и пошел вниз по улице, в глубине души надеясь встретиться с прекрасной незнакомкой и в то же время боясь этого.

— У вас есть бумага с тиснением? — спросил он у лавочника. — Для письма.

Хозяин магазинчика помог Стюарту взобраться на прилавок и подобрать подходящую бумагу — маленький листочек, помеченный инициалом «Л». Стюарт сел на пятицентовую конфету, достал авторучку и начал письмо к Харриет.

«Дорогая мисс Эймс, — написал он. — Я молодой человек довольно скромных размеров. Родом я из Нью-Йорка, но в данный момент путешествую. Случай привел меня в Ваш город. Вчера владелец местного магазина, очень добрый и открытый человек, подробно описал мне Вашу внешность и характер.

Мисс Эймс, прошу простить меня за то, что я осмеливаюсь завязывать знакомство с Вами, используя такой слабый предлог, как наше внешнее сходство. Однако на свете не так много людей, рост которых всего два дюйма. Я говорю «два дюйма», но в действительности я немного выше. Мой единственный недостаток состоит в том, что я очень похож на мышь. Но при этом я прекрасно сложен и не по годам силен.

Позвольте мне быть совершенно откровенным. Цель данного письма — предложение о встрече. Я понимаю, что Ваши родители могут возражать против неожиданности и прямоты моего предложения, а также против моей несколько мышеподобной внешности, поэтому, возможно, будет лучше, если Вы не станете сообщать им об этом. То, чего они не знают, не сможет их расстроить. Хотя, возможно, Вы гораздо лучше разбираетесь в этих вопросах, так что решайте сами.

Я путешественник и разбил лагерь у реки, в прекрасном местечке неподалеку от Тисового переулка. Как насчет того, чтобы прогуляться по реке в моем каноэ? Нас ждет чудесный вечер, когда мелкие дневные заботы остаются позади, а река замедляет свой бег в тенях опускающихся до самой воды ив. Эти тихие весенние вечера словно специально созданы для тех, кто путешествует в лодках. Я люблю воду, дорогая мисс Эймс, и мое каноэ — это старый, испытанный друг...»

В запале Стюарт совсем позабыл, что у него нет никакого каноэ.

«Если вы захотите принять мое предложение, то приходите завтра на реку в пять часов. Буду ждать Вас со всем нетерпением, на какое только способен. Этим я заканчиваю свое вызывающее письмо — пора возвращаться к повседневным делам и заботам.

Искренне Ваш,
Стюарт Литтл».

Стюарт заклеил конверт и повернулся к хозяину магазина.

— Где я могу достать каноэ? — спросил он.

— Здесь, — ответил лавочник. Он подошел к прилавку с сувенирами и снял с него маленькое каноэ из бересты, на одном из боков которого было написано «Память о лете». Стюарт внимательно осмотрел лодку.

— Оно не протекает? — недоверчиво поинтересовался он.

— Это хорошее каноэ, — заверил его лавочник, смахивая с лодки пыль. — Оно будет стоить вам семьдесят пять центов плюс пенни налог.

Стюарт вынул кошелек и расплатился. Заглянув внутрь каноэ, он обнаружил, что там нет весел.

— А где же весла? — осведомился он деловым тоном.

Хозяин поискал на сувенирном прилавке, но весел не нашел. Тогда он подошел к прилавку с мороженым и вернулся с двумя маленькими картонными ложечками, какими обычно едят мороженое.

— Вполне сгодятся вместо весел, — сказал он.

Стюарт взял ложки, но вид их ему не понравился.

— Сгодятся-то они сгодятся, — проворчал он, — но мне не хотелось бы встретиться с индейцем, держа в руке вместо весла одну из этих штук.

Лавочник вынес каноэ и весла из магазина и поставил на тротуар. Ему было интересно, как поступит дальше маленький

гребец, но Стюарт ни минуты не колебался. Достав из кармана кусок веревки, он привязал весла к каркасу, взвалил каноэ на плечи и пошел вперед так спокойно и уверенно, точно был опытным следопытом, преодолевшим по меньшей мере сотню рек и десятка полтора водопадов.

Глава 14

ВЕЧЕР НА РЕКЕ

Когда Стюарт добрался до своего лагеря у реки, он понял, что ужасно устал. К тому же его ждало новое разочарование. Спустив каноэ на воду, он увидел, что оно сильно протекает. Береста на корме была стянута шнурком, и вода просачивалась сквозь шов. Через несколько секунд каноэ наполовину заполнилось водой.

— Черт возьми! — выругался Стюарт. — Меня надули!

Выходит, он заплатил семьдесят шесть центов за «настоящее индейское каноэ из березовой коры» только для того, чтобы обнаружить, что оно протекает?

— Черт! Черт! Вот черт! — бормотал он, вычерпывая воду.

Покончив с этим делом, он вытащил каноэ на берег. Он знал, что Харриет вряд ли понравится прогулка в дырявой лодке. Несмотря на усталость, он забрался на ель и набрал смолы, которой заделал щель в корме. Но даже после этого лодка никуда не годилась, так как была слишком неустойчивой. Тогда Стюарт собрал на берегу побольше камней и уложил их в каноэ вместо балласта — так, что оно стало плавать ровно и плавно. Затем он сделал спинку у сиденья, чтобы Харриет могла откинуться назад и, если захочет, достать рукой до воды. Он даже соорудил для нее подушку, обмотав комочек мха одним их своих чистых носовых платков. После этого он решил поупражняться в гребле.

Стюарт злился, что у него такие неподходящие весла. Однако в то же время ему было интересно, заметит Харриет, что это всего-навсего ложки для мороженого, или нет.

Весь вечер Стюарт провозился с каноэ, укрепляя балласт, затыкая щели и вообще подготавливая все к завтрашнему дню. Он не мог думать ни о чем, кроме свидания с Харриет. Когда подошло время ужина, он срубил одуванчик, открыл консервную банку и поужинал ветчиной с молоком одуванчика. Потом улегся на папоротник и принялся жевать пахучую жвачку, слепленную из капли сосновой смолы. В своих мечтах он перебирал каждую деталь завтрашнего путешествия с Харриет. Закрыв глаза, он ясно видел, как девушка спускается по тропинке к воде, как тихо течет река, как быстро плывет вперед отремонтированное каноэ... В воображении он прожил каждую минуту их завтрашней прогулки. Они бы поплыли вверх по течению к большому листу водяной лилии, и Стюарт предложил бы своей спутнице выйти из лодки и немного посидеть на листе. Стюарт мечтал прыгнуть с листа в прохладную воду и поплыть, рассекая ее сильными гребками. А Харриет смотрела бы на него, восхищаясь его ловкостью...

Вдруг Стюарт открыл глаза и приподнялся. Его встревожила мысль о письме, которое он отправил сегодня. А что если оно не дошло? Ведь оно было очень маленькое и его могли просто не заметить в почтовом ящике! Стюарт беспокойно заворочался. Однако скоро его внимание опять переключилось на воду, тихо журчащую невдалеке. Где-то на противоположном берегу жалобно засвистел козодой. Темнота медленно окутала землю, и Стюарт уснул.

Утром небо затянули облака. Спрятав каноэ под листьями и крепко привязав его к камню, Стюарт отправился в город, мечтая о Харриет и страстно желая, чтобы погода улучшилась.

Вскоре он вернулся и остаток дня провел в лагере. Он перемерил все свои рубашки и подобрал ту, которая сочеталась по цвету с его усами. Он очень волновался, так как никогда раньше не приглашал девушку кататься на каноэ. С приближением назначенного часа Стюарт нервничал все больше и больше. Он то и дело смотрел на часы, на тропинку и что-то невнятно бормотал себе под нос. День был хмурым и, судя по всему, собирался дождь. Стюарт не мог представить, что они с Харриет будут делать под дождем.

Наконец стрелка на часах приблизилась к пяти, и Стюарт услышал, как кто-то спускается по тропинке к реке. Это была

Харриет. Значит, она приняла его приглашение!

Стюарт прислонился спиной к пеньку и постарался придать себе беззаботный вид, словно встречи с девушками были для него повседневным занятием. Подождав, пока Харриет подойдет на расстояние всего нескольких футов, он неожиданно вскочил и оказался рядом с девушкой.

— Привет, — сказал он, стараясь унять дрожь в голосе.

— Вы мистер Литтл? — спросила Харриет.

— Да, — ответил Стюарт. — Спасибо, что пришли.

— Нет, это вам спасибо за приглашение, — вежливо поблагодарила Харриет.

Она была одета в белый свитер, твидовую юбку, коротенькие беленькие шерстяные носочки и мягкие туфельки. На голове у нее был повязан яркий платок, а в руках она держала коробочку мятных пряников.

— Не стоит благодарности, — сказал Стюарт. — Очень рад нашей встрече. Единственное, что меня беспокоит, — это погода. Что-то сегодня она не внушает доверия.

Харриет посмотрела на небо и кивнула.

— Да, если пойдет дождь, то надолго.

— Точно. Если дождь, так дождь. Мое каноэ неподалеку, вверх по берегу. Позвольте поддержать вас под руку, здесь встречаются очень скользкие места, — галантно предложил Стюарт, но Харриет сказала, что ей не требуется помощь: она достаточно ловкая и постарается не упасть.

Скоро они добрались до того места, где Стюарт спрятал каноэ. И тут он с ужасом обнаружил, что каноэ исчезло.

Сердце его упало. Он едва не заплакал.

— Каноэ пропало! — простонал он.

Некоторое время Стюарт дико носился по берегу, осматривая кусты, деревья, траву. Харриет присоединилась к поискам, и скоро каноэ было найдено. Но как оно выглядело! Длинный кусок тяжелой веревки был привязан к корме. Балластные камни исчезли, подушка пропала, спинка была оторвана, смола вылезла из щелей, одно весло было изломано и скручено, и все каноэ было заляпано грязью... В общем, оно выглядело именно так, как и должно выглядеть каноэ, когда мальчишки вдоволь наиграются им.

Сердце Стюарта было разбито. Он не знал, что делать. Он сел на прутик и обхватил голову руками. «О боже! О боже!» — не переставая твердил он.

— В чем дело? — спросила Харриет.

— Мисс Эймс, — произнес Стюарт дрожащим голосом. — Уверяю вас, я прекрасно подготовился к прогулке. А теперь — все пропало.

Харриет села на прутик рядом с ним. Она предложила Стюарту мятный пряник, но он отрицательно покачал головой.

— Ну, — сказала она, — начинается дождь. Полагаю, мне лучше бежать домой.

Не понимаю, почему мы должны сидеть здесь и сердиться. До свидания, мистер Литтл.

— До свидания, мисс Эймс, — проговорил Стюарт. — Мне очень жаль, что все так получилось.

— Мне тоже, — отозвалась Харриет и направилась по мокрой тропинке к Тисовому переулку, оставив Стюарта наедине с его разбитыми мечтами и сломанным каноэ.

Глава 15

НА СЕВЕР

Стюарт провел эту ночь под каноэ.

Он проснулся в четыре часа и обнаружил, что дождь кончился. День обещал быть ясным. Птицы уже начали пробуждаться и весело чирикали в листве над головой. Стюарт посмотрел вверх. Но, к сожалению, Марго там не было...

На краю города Стюарт увидел автозаправочную станцию и остановился залить немного бензина.

— Пять, пожалуйста, — сказал он заправщику.

Человек в изумлении уставился на крошечный автомобиль.

— Пять чего? — не понял он.

— Пять капель, — пояснил Стюарт.

Но человек покачал головой и сказал, что не может продать так мало бензина.

— Почему? — удивился Стюарт. — Вам нужны деньги, а мне нужно топливо. Так почему бы нам не поладить?

Заправщик пошел на станцию и вернулся с медицинской пипеткой. Стюарт отвернул крышку бака, и заправщик накапал туда пять капель бензина.

— Никогда не делал ничего подобного! — пробормотал он.

— Проверьте лучше масло! — распорядился Стюарт.

После того как все было сделано, Стюарт забрался в автомобиль, завел мотор и выехал на шоссе.

Небо медленно светлело, и в утренних лучах солнца над рекой клубился туман. Город еще спал.

Автомобиль мягко катил по дороге. Стюарт чувствовал себя бодрым и радостным: он снова двигался вперед.

В полумиле от города дорога разветвлялась. Один путь вел на запад, а другой — на север. Стюарт подъехал к обочине северной дороги и вылез из машины.

К своему удивлению, он увидел, что неподалеку, облокотившись о дорожный знак, сидит человек. На ногах у него были надеты «кошки», а на талии болтался тяжелый кожаный пояс. Стюарт решил, что это, должно быть, монтер из телефонной компании.

— Доброе утро, — вежливо сказал Стюарт.

Монтер поднес руку к голове, приветствуя незнакомца. Стюарт сел на траву рядом и вдохнул свежий ароматный воздух.

— Похоже, будет хороший день, — заметил он.

— Да, — согласился монтер. — Очень хороший. Я с нетерпением жду, когда можно будет снова взобраться на столбы.

— Желаю вам легкого подъема и надежной страховки, — пожелал Стюарт. — И если, когда, вы подниметесь, вы встретите птичку по имени Марго, пришлите мне весточку, буду очень признателен. Вот моя визитная карточка.

— Опишите вашу птичку, — попросил монтер и достал из кармана блокнот и карандаш.

— Она коричневого цвета, — сказал Стюарт. — С желтыми перышками на грудке.

— Откуда она прилетела? — спросил монтер.

— Она прилетела с полей, где растет пшеница, с пастбищ, где вокруг только клевер и чертополох, из долин, где много лабазника. А еще она очень любит петь.

Монтер все кратко записал: «Поля — пшеница, пастбища — клевер и чертополох, долины — лабазник. Любит петь». Затем он убрал блокнот в карман и сунул визитку Стюарта в бумажник.

— Постараюсь не пропустить, — пообещал он.

Некоторое время они молчали.

— Куда направляетесь? — спросил наконец монтер.

— На север, — ответил Стюарт.

— Север — это здорово, — обрадовался монтер. — Я всегда его любил. Однажды, следуя по сломанной телефонной линии на север, я проходил через прекраснейшие места. Болота, заросшие кедром, где на бревнах сидят черепахи, поля, огороженные полуразвалившимися от времени старыми заборами, фруктовые сады, такие древние, что вряд ли помнят, где стоял дом фермера, посадившего их. На севере я завтракал среди пастбищ, заросших клевером и можжевельником, а ветер ласково обдувал меня. Моя работа заводила меня в еловые леса зимними ночами, когда вокруг лежит снег, мягкий и глубокий, а по нему кружатся в брачном танце зайцы. Я мирно сидел на товарных платформах, на железнодорожных узлах, когда солнце пригревало, а вокруг плавали чудесные ароматы. Я видел на севере озера, не потревоженные никем, кроме рыб, ястребов, да еще телефонной компании, которая всегда идет по выбранному ею пути. Я очень хорошо знаю эти места. Но они далеко отсюда. А тот, кто ищет, не всегда продвигается к цели с той скоростью, с какой ему хотелось бы. Вот я, например, так и не нашел, чего искал...

Они помолчали.

— Да, — сказал Стюарт наконец. — Мне пора ехать. Я рад, что познакомился с вами.

— Доброго пути, — ответил монтер. — Надеюсь, вы найдете свою птичку.

Стюарт поднялся, забрался в машину и поехал по дороге, ведущей на север. Солнце только что поднялось над холмами. Вглядываясь вперед, в необозримые просторы, расстилавшиеся перед ним, Стюарт чувствовал, что путь будет долгим. Но небо было чистым и ярким, и Стюарт знал, что движется в правильном направлении.

Глава 16
В ПУТИ

Весь следующий день Стюарт провел за рулем. Лишь изредка он вылезал из автомобиля, чтобы немного размяться и осмотреться. Вокруг, сколько хватало глаз, раскинулись зеленые поля. Над ними, в небесной синеве, порхали птицы, но Марго среди них — увы — не было.

С полей шел пьянящий аромат, Стюарту хотелось броситься в траву и, забыв обо всем, лежать, глядя в небо, и считать облака. Но мысль о том, что ему надо найти Марго, гнала Стюарта вперед.

Солнце поднималось все выше и скоро перевалило за полдень. Заприметив по дороге маленький мотель, Стюарт решил пообедать.

Бензозаправщик, который был одновременно и официантом и хозяином мотеля, сидел возле распахнутых настежь дверей на стуле. Клиентов не было, и официант изнывал без дела. Солнце совершенно разморило его, и он поминутно клевал носом. Стюарт подъехал вплотную и, выглянув из окна, окликнул спящего. Официант поднял голову, но никого не увидел и, решив, что голос ему просто померещился, снова закрыл глаза. Стюарт позвал еще раз. Официант вздрогнул и осмотрелся по сторонам. Увидев Стюарта в крошечном автомобиле, он открыл от удивления рот. Потом принялся протирать глаза. Но мышонок и маленький автомобильчик не пропадали.

— Пожалуйста, три чизбургера, картошку и стакан апельсинового сока, — сказал Стюарт.

Ничего не соображая, официант встал и вошел в дверь, бессмысленно бормоча под нос:

— Три чизбургера, картошку, стакан сока... Три чизбургера, картошку...

Через минуту он вернулся.

— Но... позвольте, — пробормотал он, — для вас и одного чизбургера будет многовато... Ваш рост...

— Мой рост никого не касается. Сделайте чизбургеры соответствующего размера. И еще. Скажите, это дорога на север?

— Да, — подтвердил официант. — Точно на север. Как по компасу... Я давно уже здесь живу. Место хорошее — простор, спокойно... Клиентов, правда, маловато. Но разве в этом дело?

— Наверное, нет, — задумчиво ответил Стюарт.

— Да, — вздохнул официант и, вспомнив про заказ, вошел внутрь здания.

Через пятнадцать минут он появился снова. В руках у него была маленькая тарелочка, с какими дети обычно играют в куклы, а на ней лежало три свежих маленьких чизбургера и небольшая горка жареной картошки.

— Вот, — расплылся официант в улыбке и протянул тарелочку Стюарту. Затем поднял вторую руку и вручил ему наперсток апельсинового сока.

— Спасибо, — поблагодарил Стюарт и принялся за еду.

Официант, сидя на стуле, смотрел на него.

— Знаете, — сказал он наконец. — Всю жизнь я стремился к чему-то необыкновенному. Вначале хотел открыть в городе большую гостиницу, потом организовать яхт-клуб...

Услышав о яхт-клубе, Стюарт насторожился.

— Но потом я как-то подумал: а зачем все это? Время проходит, а что я успел в жизни? Много я видел закатов? Сколько раз слышал пение птиц на заре? И кто, самое главное, пожалеет обо мне, когда я умру? Клиенты? Вряд ли. Они забывают обо мне, как только выезжают за ворота гостиницы. Яхтсмены? Ничего подобного. Яхты интересуют их гораздо больше, чем люди...

Стюарт хотел было возразить, но официант продолжил:

— Тогда я купил этот мотель и поселился здесь... И знаете, не жалею об этом... Вы когда-нибудь видели ночное звездное небо в конце августа? Вдыхали запах свежего сена? А ездили зимой по лесу?

Стюарт покачал головой.

— Это еще что. Зимой мы собираемся вечерами у камина, — мы — это я и моя семья — жена и двое мальчиков... За окном падает снег, а у нас горит камин, нам весело и уютно... На Рождество я надеваю ватную бороду, красный колпак...

— Спасибо большое, — сказал Стюарт. — Но мне, к сожалению, пора. Рад был познакомиться. Значит, говорите, эта дорога на север?

Официант кивнул, и Стюарт, расплатившись, двинулся дальше. Некоторое время он видел официанта, который, стоя посреди дороги, махал ему рукой...

Стюарт ехал на север. Снова впереди была дорога, а по бокам бескрайние поля. Ветерок тихо шелестел травой, весело стрекотали кузнечики. Но Стюарту отчего-то было неспокойно. Он знал, что ищет, знал, что движется в правильном направлении, однако какая-то смутная тревога постепенно начала овладевать им. Чтобы отделаться от беспокойных мыслей, он свернул к ручью. Там он искупался, хорошенько отдохнул и наконец успокоился.

Всю следующую неделю он упрямо двигался на север. Он сам добывал себе пищу и готовил ее на костре, спал в построенном из веток и листьев шалаше, умывался в родниках и ручьях, слушал пение птиц, надеясь услышать знакомый голосок Марго...

Минула еще одна неделя, потом еще одна и еще... А Стюарт все ехал и ехал.

Местность вокруг стала пустынной и гористой. Солнце не пекло уже так сильно, а от трав не поднимался пьянящий аромат...

Однажды, решив заправить машину, Стюарт свернул к небольшой горной гостинице, которая располагалась неподалеку (так, по крайней мере, утверждал дорожный указатель). Гостиница, однако, оказалась неблизко, и последнюю часть пути Стюарту пришлось толкать машину, так как бензина совсем не осталось. Уставший и грязный, Стюарт добрался до места лишь к вечеру. Сделав необходимые распоряжения и расплатившись за номер, он поднялся к себе и проспал как убитый до утра.

Поднялся он поздно и когда наконец собрался выезжать, время близилось к полудню. Проверив машину и убедившись, что бак полон, Стюарт сел за руль, но тут заметил, что к нему бежит хозяин гостиницы.

— Вы — мистер Ст. Литтл? — спросил хозяин, пыхтя и отдуваясь.

— Да, а в чем дело?

— Вам письмо. Вот, — хозяин протянул Стюарту конверт голубого цвета.

— Письмо? — растерянно пробормотал Стюарт. — Мне?

— Оно дожидается вас тут уже неделю... — принялся объяснять хозяин, но Стюарт не слушал. Он распечатал конверт, вытащил сложенный вчетверо листок и принялся читать:

«Дорогой Стюарт!

Зная, что ты едешь на север, посылаю три письма в разные гостиницы, которые могут попасться тебе по дороге...

Во время нашей встречи ты говорил о птичке, которую ищешь. Так вот, вчера я видел...

У Стюарта перехватило дыхание.

... видел птичку, точь-в-точь похожую на ту, что ты описывал. Поторопись, и я думаю, ты не опоздаешь.

Монтер».

Далее шел адрес, нацарапанный, как и вся записка, огрызком тупого карандаша.

Мотор завелся быстро, и скоро машина катила назад — туда, где, как говорило письмо, жила Марго...

Глава 17

ВСТРЕЧА

Городок, который был назван в письме, Стюарт нашел по карте, и ровно через полторы недели его маленький автомобиль уже ехал по одной из улиц этого города.

Близилась осень. В садах зрели сливы и яблоки, во дворах шумно галдели дети.

Чем ближе подъезжал Стюарт к указанному в письме дому, тем сильнее билось его сердце. Стюарт пытался представить, как он встретится с Марго, что скажет ей — и никак не мог подыскать подходящих слов.

Но вот и дом. Стюарт подъехал и остановил машину.

Вверху, под самой кровлей, было гнездо. Стюарт сел на крыльцо и принялся ждать.

Вдруг маленькая тень скользнула под кровлю. Стюарт поднял голову и вскрикнул от радости. В гнезде была Марго!

— Марго! Марго! — закричал он и замахал руками.

Птичка обернулась и, увидев Стюарта, выпорхнула из гнезда. Через мгновение она опустилась на крыльцо рядом с ним.

Да, теперь не было никаких сомнений — это была Марго.

— Марго! — выдохнул Стюарт. — Я тебя повсюду искал... Ты так внезапно исчезла! Если бы ты знала, сколько я изъездил дорог!

— Я так рада тебя видеть, Стюарт! — чирикнула Марго и приветливо замахала крылышками. — Я часто вспоминала о тебе! Сейчас я познакомлю тебя со своими детьми! Хватай меня за ноги! Они у меня чудесные! Прекрасные! — чирикала Марго, пока они поднимались вверх. — Еще совсем крошки, а уже такие смышленые!

Через минуту они оказались в гнезде.

В нем сидело три большеголовых птенца, которые, завидев мать, тут же начали приветливо попискивать.

— Вот! — засуетилась Марго. — Правда, замечательные? Ой, а какие они непоседы, какие самостоятельные!

— Марго... — тихо позвал Стюарт. — Помнишь, как я болел, а ты...

— Знаешь, что один вчера выкинул? Сам вылез из гнезда и говорит: «Буду учиться летать!» А у самого и перья еще не выросли! Представляешь?

— А как тебя кот хотел поймать, помнишь? И как я...

— Нет, ты не знаешь, что на днях сказал мне вон тот, с хохолком! «Мама, — говорит, — а откуда я появился? Из яйца или меня аист принес?» Представляешь? А вон тот... Ой, мне пора лететь за кормом. Подожди меня немного...

— Марго! — в отчаянье вскричал Стюарт.

— Что, Стюарт?

— Марго! Неужели я зря тебя искал?

— Почему зря? — удивилась она. — Я ужасно рада тебя видеть, я...

Она внимательно посмотрела на Стюарта.

— Знаешь, — сказала Марго после недолгого молчания. — В жизни ничего не бывает зря... Может, чтобы понять это, тебе нужно было совершить путешествие...

— Но, Марго... — Стюарт едва не плакал.

Марго погладила его по плечу.

— Мы все стремимся к каким-то красивым и несбыточным вещам. Мы мечтаем. И это хорошо. Но часто в погоне за мечтой мы перестаем видеть то, что нас окружает. Мы перестаем замечать лучи солнца, ласковые дуновения ветра, капли росы на цветах, звезды у нас над головой... А это и есть жизнь. Это то, что окружает нас в настоящий момент, что дает радость и тепло... Вот ты говоришь, что долго искал меня. Неужели все это время ты ни разу не вспомнил об оставшихся дома маме, папе, Джордже?

— Да... — прошептал Стюарт. — Я думал о чем-то похожем... Мне говорили...

— Неужели ты не скучал о доме, о Рождестве, о катании на коньках по замерзшему пруду, о кораблях...

— О Харриет... — прошептал Стюарт.

Марго замолчала.

— Это твоя жизнь, Стюарт, — сказала она наконец. — Ее надо любить, и тогда ты увидишь, что мир безграничен... Что в нем есть и поля, где растет пшеница, и пастбища, где цветут клевер и чертополох, и долины, в которых много-много лабазника, и еловые леса, где зайцы зимой кружатся в брачном танце... Ты увидишь, что есть и север, и юг, и восток, и запад...

Она расправила на груди перышки.

— Извини, Стюарт. Но мне надо лететь за кормом для моих крошек. Правда, они очаровательные?

— Правда, — согласился Стюарт.

— Дождись меня, — чирикнула Марго. — И мы, если хочешь, поболтаем о прошлом. Ты расскажешь мне о мистере и миссис Литтл, о Джордже...

— Хорошо, Марго...

Когда темный силуэт скрылся за кронами деревьев, Стюарт еще немного посидел возле гнезда. Потом поднялся и, спустившись вниз по водосточной трубе, открыл дверцу автомобиля...

... Была ночь. Костер догорал. Над речкой тихо стлался туман. Стюарт лежал в траве и смотрел на звезды. Их было много, там, в вышине. Они едва заметно мигали и, казалось, подавали Стюарту какие-то знаки, только он никак не мог понять, какие именно.

В камышах протяжно кричала ночная птица. Туман медленно разросся и окутал прибрежную траву. Где-то прошуршал еж, отправляющийся по своим делам...

Стюарт спал. И ему снились сны. Может, ему снились мама и папа, может, брат Джордж, а может, девочка по имени Харриет из чудесного городка, называющегося Эймс Кроссинг.

А звезды над ним мигали и кружились, сливаясь в один большой и яркий хоровод...

СОДЕРЖАНИЕ

ведения о первой любви, о природе и животных, исторические повести. Но все они относятся к литературе воспитания чувств, герои которой заняты нравственными исканиями.

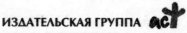

ИЗДАТЕЛЬСКАЯ ГРУППА

ПРИОБРЕТАЙТЕ КНИГИ ПО ИЗДАТЕЛЬСКИМ ЦЕНАМ В СЕТИ КНИЖНЫХ МАГАЗИНОВ БУКВА

В регионах:

- г. Владимир, ул. Дворянская, д.10, т. (4922) 42-06-59
- г. Екатеринбург, ул. 8 Марта, д. 46, ТРЦ «ГРИНВИЧ», 3 этаж
- г. Калининград, ул. Карла Маркса, д. 18, т. (4012) 71-85-64
- г. Краснодар, ул. Дзержинского, д. 100, ТЦ «Красная площадь», 3 этаж, т. (861) 210-41-60
- г. Красноярск, пр-т Мира, д. 91, ТЦ «Атлас», 1, 2 этаж, т. (391) 211-39-37
- г. Пенза, ул. Московская, д. 83, ТЦ «Пассаж», 2 этаж, т. (8412) 20-80-35
- г. Пермь, ул.Революции, д. 13, 3 этаж, т. (342) 0238-69-72
- г. Ростов-на-Дону, г. Аксай, Новочеркасское ш., д. 33, ТЦ «Мега», 1 этаж, т. (863) 265-83-34
- г. Рязань, Первомайский пр-т, д. 70, к. 1, ТЦ «Виктория Плаза», 4 этаж, т. (4912) 95-72-11
- г. С.-Петербург, ул. 1-я Красноармейская, д. 15, ТЦ «Измайловский», 1 этаж, т. (812) 325-09-30
- г. Самара, ул. Дыбенко, д. 30, ТЦ «Космопорт», 1 этаж, т. 8-937-202-65-09
- г. Тольятти, ул. Ленинградская, д. 55, т. (8482) 28-37-68
- г. Тула, ул. Первомайская, д. 12, т. (4872) 31-09-22
- г. Уфа, пр-т Октября, д. 34, ТРК «Семья», 2 этаж, т. (3472) 293-62-88
- г. Чебоксары, ул. Калинина, д. 105а, ТЦ «Мега Молл», 0 этаж, т.(8352) 28-12-59
- г. Челябинск, пр-т Ленина, д. 68, т. (351) 263-22-55
- г. Череповец, Советский пр-т, д. 88, т. (8202) 20-21-22
- г. Ярославль, ул. Первомайская, д. 29/18 , т. (4852) 72-89-20

Широкий ассортимент электронных и аудиокниг
ИГ АСТ Вы можете найти на сайте www.elkniga.ru

Заказывайте книги почтой в любом уголке России
123022, Москва, а/я 71 «Книги – почтой» или на сайте: shop.avanta.ru

Курьерская доставка по Москве и ближайшему Подмосковью:
Тел/факс: +7(495)259-60-44, 259-41-71

Приобретайте в Интернете на сайте: www.ozon.ru

Издательская группа АСТ www.ast.ru
129085, Москва, Звездный бульвар, д. 21, 7-й этаж
Информация по оптовым закупкам: (495) 615-01-01, факс 615-51-10
E-mail: zakaz@ast.ru

УДК 821.111(73)
ББК 84(7Сое)
У13

Литературно-художественное издание

Серия «Мои любимые книжки»

Для младшего и среднего школьного возраста

Уайт Элвин Брукс

ОТВАЖНЫЙ МЫШОНОК СТЮАРТ ЛИТТЛ

Серийное оформление дизайн-студии «Планета детства»

Художник *Вадим Челак*

Ведущий редактор *Д.И. Калабухов*

Печатается с разрешения White Literary LLC и литературных агентств International Creative Management, Inc., Curtis Brown Group Limited и Andrew Nurnberg

Подписано в печать 20.05.2010. Формат 70x108^1/$_{32}$.
Усл. печ. л. 8,4. Тираж 5000 экз. Заказ № 2128и.
Общероссийский классификатор продукции ОК-005-93, том 2; 953000 – книги, брошюры
Санитарно-эпидемиологическое заключение № 77.99.60.953.Д.001683.02.10 от 05.02.2010 г.

ООО «Издательство АСТ»
141100, РФ, Московская обл., г. Щелково, ул. Заречная, д. 96.

ООО «Издательство Астрель»
129085, г. Москва, пр-д Ольминского, д. 3а

Наши электронные адреса: www.ast.ru E-mail: astpub@aha.ru

ОАО «Владимирская книжная типография»
600000, г. Владимир, Октябрьский проспект, д. 7.
Качество печати соответствует качеству предоставленных диапозитивов

Уайт, Э.Б.

У13   Отважный мышонок Стюарт Литтл /Элвин Брукс Уайт; пер. с англ. И. Родина; ил. В. Челака. – М.: АСТ: Астрель; Владимир: ВКТ, 2010. – 185, [7] с.– (Мои любимые книжки)

Перед вами великолепная сказочная повесть об отважном мышонке по имени Стюарт Литтл. Стюарт чудесным образом родился в обыкновенной человеческой семье. Он не просто мышонок, а настоящий джентльмен в серой шляпе и с тростью. Несмотря на крошечный рост, Стюарт бесстрашен, смел и всегда готов к приключениям.

ISBN 978-5-17-067619-4 (ООО «Издательство АСТ»)
ISBN 978-5-271-28599-8 (ООО «Издательство Астрель»)
ISBN 978-5-226-02328-6 (ВКТ)